1 MONTH OF FREE READING

at

www.ForgottenBooks.com

By purchasing this book you are eligible for one month membership to ForgottenBooks.com, giving you unlimited access to our entire collection of over 700,000 titles via our web site and mobile apps.

To claim your free month visit:

www.forgottenbooks.com/free323665

ISBN 978-0-483-28724-2
PIBN 10323665

Sammlung Göschen

Germanische

Sprachwissenschaft

Von

Dr. Richard Loewe

Zweite Auflage

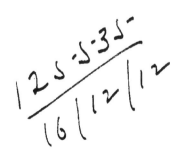

Leipzig

G. J. Göschen'sche Verlagshandlung

1911

Druck der Spamerschen Buchdruckerei in Leipzig.

Inhaltsverzeichnis.

Literatur

K. Brugmann und B. Delbrück, Grundriß der vergleichenden Grammatik der indogermanischen Sprachen, 5 Bände, Straßburg 1866—1900. 2. Auflage, Band I und Band II. Erster Teil von Brugmann 1897—1906.

K. Brugmann, Kurze vergleichende Grammatik der indogermanischen Sprachen, 3 Bände, Straßburg 1902—1904.

F. Dieter, Laut- und Formenlehre der altgermanischen Dialekte; Leipzig 1900 (darin die Teile über Urgermanisch von R. Bethge).

W. Streitberg, Urgermanische Grammatik, Heidelberg 1896.

F. Kluge, Vorgeschichte der altgermanischen Dialekte. In H. Paul, Grundriß der germanischen Philologie, 2. Auflage, 1. Band, Straßburg 1901. Auch separat.

A. Noreen, Abriß der urgermanischen Lautlehre, Straßburg 1894.

W. Wilmanns, Deutsche Grammatik. Gotisch, Alt-, Mittel- und Neuhochdeutsch. 3 Abteilungen, 2. Auflage, Straßburg 1897—1909.

F. Kauffmann, Deutsche Grammatik. Kurzgefaßte Laut- und Formenlehre des Gotischen, Alt-, Mittel- und Neuhochdeutschen, 5. Auflage, Marburg 1909.

Abkürzungen.

abg. = altbulgarisch.
abktr. = altbaktrisch.
afr. = altfriesisch.
ags. = angelsächsisch.
ahd. = althochdeutsch.
ai. = altindisch.
air. = altirisch.
aisl. = altisländisch.
alat. = altlateinisch.
amd. = altmitteldeutsch.
anorw. = altnorwegisch.
aobd. = altoberdeutsch.
as. = altsächsisch.
aschw. = altschwedisch.
germ. = germanisch.
got. = gotisch.
gr. = griechisch.
idg. = indogermanisch.

lat. = lateinisch.
lit. = litauisch.
me. = mittelenglisch.
mhd. = mittelhochdeutsch.
rund. = mittelniederdeutsch.
nhd. = neuhochdeutsch.
nnd. = neuniederdeutsch.
urg. = urgermanisch.
urn. = urnordisch.
wg. = westgermanisch.
Wik. = Wikingerzeit.

anl. = anlautend.
ausl. = auslautend.
inl. = inlautend.

F. = Femininum.
M. = Maskulinum.
N. = Nentrum.

Erläuterungen.

þ ist wie hartes (stimmloses) engl. th in thing zu sprechen; ð ist meist der entsprechende weiche (stimmhafte) Laut.

z ist außer im Hochdeutschen (wo es entweder ein harter s-Laut ist oder eine Verbindung aus t und diesem) weiches s (wie franzÖs. z).

Aisl. v ist wie w zu lesen.

Abg. š und lit. sz sind wie deutsches sch zu sprechen, abg. ž, lit. ż wie deutsches g in genieren. Ai. š ist palatales, ai. ṣ zerebrales sch. Ai. j ist wie j in engl. judge, ai. c wie ch in engl. child, ai. y wie deutsches j zu sprechen.

Got. ei ist langes i, ags. æ engl. a in glass.

Der Akut ´ bezeichnet meist die Haupttonsilbe, ags., aisl. und anorw. jedoch die Vokallänge, die sonst durch ˉ ausgedrückt wird.

Die übrigen Aussprachsweisen werden im Text selbst, besonders im Abschnitt über Lautverschiebung, erläutert.

Wo etwas kurz als „indogermanisch“ bezeichnet wird, ist damit die indogermanische Ursprache gemeint.

Ein * vor einer Form bezeichnet dieselbe als nicht überliefert, sondern nur erschlossen.

Erster Teil. Einleitung.

I. Begriff und Aufgabe der germanischen Sprachwissenschaft.

Die germanische Sprachwissenschaft im weiteren Sinne
ist die Erklärung aller Erscheinungen der germanischen
Sprachen, d. h. des Deutschen und der diesem nächst
verwandten Idiome wie des Englischen und des Isländi-
schen. Die germanischen Sprachen haben sich nach Ausweis ihrer Literaturen im Laufe der Zeiten verändert
und sich früher einmal bedeutend näher als heute gestanden. Man hat hieraus gefolgert, daß sie früher überhaupt einmal eine im wesentlichen einheitliche Sprache
gebildet haben, die man auch rekonstruiert und als „urgermanisch“ bezeichnet hat. Nun stehen aber die germanischen Sprachen in einem entfernten Verwandtschafts-
verhältnis zu den meisten europäischen und mehreren
asiatischen, die man alle unter dem Namen „indogermanisch“ zusammenzufassen pflegt*). Durch Vergleichung
der indogermanischen Einzelsprachen, die wie das Urgermanische selbst z. T. erst wieder aus jüngeren Sprachen
erschlossen sind, hat man nun auch weiter die indogermanische Ursprache rekonstruiert. Da die Beschäftigung
mit der Fortentwickelung der einzelnen germanischen
Sprachen besonderen Fächern angehört, so besteht die
Aufgabe der germanischen Sprachwissenschaft im engeren

---

*) Vgl. Sammlung Göschen Nr. 59.

Sinne in der Rekonstruktion und Erklärung des Urgermanischen. Dadurch wird aber auf der einen Seite eine Vergleichung der einzelnen germanischen Sprachen in ihrer ältesten Überlieferung unter sich selbst, auf der anderen mit den übrigen indogermanischen Sprachzweigen in deren ältesten Dialekten erforderlich.

II. Die indogermanischen Sprachen und die germanischen Dialekte.

Die idg. Sprachzweige sind das Arische, Armenische, Griechische, Albanesische, Italische, Keltische, Germanische, Baltoslawische, Tocharische. Das Arische gliedert sich wieder in das Indische, von dem wir nur das Altindische (Sanskrit), und das Iranische, von dem wir nur das Altbaktrische berücksichtigen. Zum italischen Sprachzweig gehören das Lateinische, Umbrische und Oskische, zum keltischen das Altirische und Kymrische nebst dem nur in Resten erhaltenen Altgallischen. Das Baltoslawische gliedert sich in den baltischen Sprachzweig (litauisch, lettisch, altpreußisch) und in den slawischen, von dem das Altbulgarische am altertümlichsten erscheint. Das erst 1908 entdeckte, jetzt längst ausgestorbene Tocharische wurde in Ostturkestan gesprochen.

Die näher bekannten Dialekte des Germ. sind:

1. Das Gotische, von dem wir fast nur Teile der Bibelübersetzung des Wulfila (um 350 n. Chr.) besitzen. Es ist mit dem Gotenvolk verschwunden.

2. Das Nordische oder Nordgermanische, d. h. die Sprache Skandinaviens, Dänemarks, Islands und der Fär Öer. Bis um 700 n. Chr. nennt man die Sprache urnordisch; wir haben von dieser Sprachstufe nur Runeninschriften, deren früheste man schon vor 300 n. Chr.

setzt. Von 700—1530 (d. h. bis zur Reformation) bezeichnet man die verschiedenen nordischen Dialekte als
altnordisch, von da ab als neunordisch. Die einzelnen
Zweige des Altnordischen nennt man altisländisch,
altfäröisch, altnorwegisch, altschwedisch, alt-
dänisch, altgutnisch (auf Gotland), die des Neunor-
dischen neuisländisch usw. Nordische Mundarten gab
es früher auch anderwärts, wie auf den Orkney- und den
Shetlandinseln, wo sie erst um 1800 erloschen sind.

3. Das Englische, seit etwa 700 n. Chr. näher bekannt. Es heißt bis etwa 1150 angelsächsisch oder
altenglisch, bis etwa 1500 mittelenglisch, von da
ab neuenglisch.

4. Das Friesische, seit dem 13. Jahrhundert bekannt. Es wird bis etwa 1600 als altfriesisch, von
da ab als neufriesisch bezeichnet.

5. Das Niederdeutsche (Niedersächsische).
Dasselbe heißt von etwa 800—1100 altsächsisch,
bis etwa 1600 (d. h. bis zum Aufhören der niederdeut-
schen Literatur) mittelniederdeutsch, von da ab
neuniederdeutsch oder plattdeutsch.

6. Das Niederländische. Von etwa 800—1200
heißt es altniederfränkisch, bis etwa 1500 mittel-
niederländisch, von da ab neuniederländisch.

7. Das Hochdeutsche. Von 740—1100 rechnet
man das Althochdeutsche, bis etwa 1500 (bis zur
Reformation) das Mittelhochdeutsche, von da ab das
Neuhochdeutsche.

Zu den germ. Dialekten mit eigenen Literaturen treten
noch solche, von denen wir nur einzelne Wörter (meist
Eigennamen) in lateinischer und griechischer Überlieferung
besitzen. Es sind dies Sprachen wie das Burgundische
und Wandalische, also von Völkern, die früh verschwunden

sind. Dagegen sind aus dem erst im 11. Jahrhundert erloschenen Langobardischen außer sehr vielen Eigennamen auch noch etwa 200 andere Wörter in lateinischer Überlieferung erhalten. Vom Krimgotischen (im Südwesten des Krim), das erst um die Mitte des 18. Jahrhunderts verstummt ist, hat der Flamländer Busbeck um 1560 etwa 80 Wörter aufgezeichnet, während wir von dem ungefähr gleichzeitig ausgestorbenen Tetraxitischen (anf der Halbinsel Taman am Kaukasus) überhaupt nur aus Nachrichten wissen.

III. Die Sprachveränderungen und ihre Ursachen.

Die Veränderungen der Sprachen erstrecken sich teils auf die Lautform, teils auf die Bedeutung ihrer Wörter. Wirkt bei Veränderung der Lautform die Bedeutung nicht mit, so reden wir von einem Lautwandel, wirkt sie mit, so von einem Formenwandel, verändert sich nur die Bedeutung, so von einem Bedeutungswandel.

Formenwandel ·liegt z. B. vor, wenn wir nhd. *wir sprangen, wir halfen* für mhd. *wir sprungen, wir hulfen* sagen, da mhd. *u* überhaupt nur im Prät. durch *a* ersetzt worden, sonst aber *u* geblieben ist (z. B. in *uns, ulme, butter*). Die Formen *halfen, sprangen* sind deshalb gebildet worden, weil es im Sg. bereits mit *a hálf, sprang* hieß und andere Prät. wie z. B. *ich rief, wir riefen* schon mhd. denselben Vokal im Pl. wie im Sg. aufwiesen. Umgekehrt ist *a* in ahd. *magum* „wir vermögen" noch in althochdeutscher Zeit durch *mugum* ersetzt worden, weil die Verba, die im Sg. ebenso wie *mag* flektierten (z. B. *darf, darft, darf*, wie *mag, maht, mag*), ihren Pl. mit *u* bildeten (z. B. *durfum*). Man nennt diese häufigste Art des Formenwandels Analogiebildung.

Zum Lautwandel dagegen gehört es z. B., wenn jedes mhd. *uo* nhd. zu *ū* geworden ist, wenn wir z. B. für mhd. *buoch* jetzt *būch* ebensogut sagen wie für mhd. *wir truogen* jetzt *wir trūgen*. Ist wie hier der Lautwandel nicht durch andere in der Nähe stehende Laute bedingt, so nennt man ihn einen spontanen. Dagegen spricht man von einem kombinatorischen Lautwandel, wenn ein Laut nur in der Nachbarschaft oder Nähe bestimmter anderer Laute eine bestimmte Veränderung erleidet. So ist z. B. mhd. *s* nhd. (im größten Teile Ober- und Mitteldeutschlands) der Regel nach *s* geblieben (z. B. in *sinken, hase, nest*), zu *sch* aber geworden, wenn es selbst im Anlaut stand und ihm ein *l, m, n, w, p* oder *t* folgte. (Daher z. B. *schläfen* aus *släfen, schmelzen* aus *smelzen, schnee* aus *snē, schwarz* aus *swarz, schpīl* aus *spil, schtark* aus *stark*.)

Die Sprachveränderungen haben ihre wesentlichste Ursache in der Vererbung der Sprache von Generation zu Generation. Das sprechenlernende Kind bezeichnet mit einem von ihm aufgefaßten Worte auch Dinge von ähnlicher Bedeutung wie dieses: es kommt z. B. vor, daß es auch eine Mütze einen Hut oder einen Stuhl eine Bank nennt. Stimmen nun mehrere miteinander verkehrende Kinder in bestimmten Bedeutungsübertragungen zufällig überein, so können sie dieselben auch für das spätere Lebensalter festhalten und dann auch bei anderen Personen die gleichen hervorrufen.

Aus der Kindersprache stammen aber auch alle Analogiebildungen bei häufigen Wörtern. Ein Kind, das z. B. *gedenkt* von *denken* (nach *geliebt* von *lieben, gemacht* von *machen* usw.) bildet, braucht diese Form lange Zeit allein, bis es *gedacht* gelernt hat, während ein Erwachsener höchstens vereinzelt einmal sich verspricht und *gedenkt*

für *gedacht* sagt. Wenn es daher heute im Schwäbischen
gedenkt für *gedacht* heißt, so kann das nur daher kommen,
daß bestimmte Kinder in dieser in der deutschen Kindersprache überhaupt äußerst häufigen Analogiebildung über-
eingestimmt, dieselbe beibehalten und dann auf andere
übertragen haben.

Betreffs des Lautwandels endlich ist in gewissen
Gegenden beobachtet worden, daß dort die ganze junge
Generation bis zu einer gewissen Altersgrenze bestimmte
Laute oder Lautverbindungen anders als die ältere spricht.
Somit kann auch der Lautwandel nur in entsprechender
Weise wie der Bedeutungs- und Formenwandel aus der
Kindersprache stammen; es ist bis zu einem gewissen
Grade Zufall, welche von den schon in der Kindersprache
sehr verschiedenartigen Lautveränderungen sich als Laut-
wandel eines Dialektes durchsetzen. Wenn auch nicht
alle in der Kindersprache häufigen Lautwandlungen häufig
zu Lautwandlungen fertiger Sprachen werden, so doch
gewisse, wie der Ersatz des *š* (*sch*) durch *s*.

Von den in der Kindersprache sehr häufigen Lautwandlungen findet sich in fertigen Sprachen ferner zuweilen die
Assimilation von Konsonanten an nichtbenachbarte Konsonanten, z. B. in aisl. *ulfalde* „Kamel“ aus **ulfande* (neben
got. *ulbandus*, ags. *olfend*, mhd. *olbente*), und häufiger Um-
stellungen sowohl benachbarter wie nichtbenachbarter Konsonanten, wie in ags. *æps* aus *æps* „Espe“, ags. *weler* „Lippe“
aus **werel* (got. *wairilō*). Während Kinder solche Lautformen
sehr oft regelmäßig anstatt der ihnen überlieferten setzen,
kommen dieselben bei Erwachsenen wieder nur vereinzelt als
ein Sichversprechen vor. Andere Lautwandlungen der Kindersprache halten sich nur da zuweilen, wo zu den sie veran-
lassenden Schwierigkeiten noch andere hinzutreten. So findet
sich der in der Kindersprache äußerst häufige Ersatz jedes *k*
durch *t* als Lautwandel fertiger Sprachen wohl kaum irgendwo: doch ist *k* auch in solchen einige Male durch *t* ersetzt
worden, wo die Schwierigkeit noch durch ein zweites *k* oder
durch ein verwandtes *g* desselben Wortes vermehrt worden

war: so in ital. *Otriculi* aus lat. *Ocriculum*, aisl. *tyggva* „kauen“ aus **kyggva*.

IV. Das Germanische im Kreise der indogermanischen Sprachen.

Die Heimat der indogermanischen Ursprache und des Volkes, das sie gesprochen hat, ist bis jetzt nicht näher bestimmt worden; doch kann dieselbe nicht in allzu großer Entfernung von Babylonien gelegen haben, da das dekadische Zahlensystem der Indogermanen deutliche Spuren der Beeinflussung durch das Sexagesimalsystem der Babylonier zeigt.

Innerhalb des Indogermanischen läßt sich eine Spaltung in zwei Dialektgruppen beobachten, die man als *centum*-Sprachen (*c* als *k* zu sprechen) und *satem*-Sprachen unterscheidet. Die erste Gruppe umfaßt das Tocharische, Griechische, Italische, Keltische und Germanische, die zweite das Arische, Armenische, Albanesische und Baltoslawische. Die zweite Gruppe verwandelte abweichend von der ersten die palatalen Verschlußlaute (vordere *k*-Laute wie in nhd. *kind*) in Zischlaute (*s*-Laute). So lautet idg. **k̂ṃtóm* (*k̂* palatales *k*) „100“ tochar. *k̲andh*, gr. ἑ-ϰατόν, lat. *centum*, air. *cét* (*c* ist *k*), got. *hund* (germ. *h* aus *k*), aber ai. *śatám*, abktr. *satem*, lit. *szimtas*; analog steht dem gr. ϰάρā „Kopf“ ein arm. *sar* „Höhe“, dem lat. *vīcus*, got. *weihs* „Flecken“ ein alb. *vis* „Ort“, dem lat. *porcus*, ahd. *farh* „Schwein“ ein abg. *prasę* gegenüber. Die *satem*-Sprachen ließen ferner bei den labiovelaren Verschlußlauten (hinteren *k*-Lauten wie in nhd. *kunst*, die aber mit Lippenrundung verbunden waren) die Lippenrundung regelmäßig fallen. So gehört zu dem idg. Interrogativstamm **kᵛo-*, **kᵛā-*, **kᵛi-* (*kᵛ* ist labiovelares *k*) gr. πό-ϑεν „woher“ (der Lippenlaut *p* kann nur aus einem *k* mit Lippenrundung entstanden

sein), lat. *qui*, neukymr. *pwy* „wer, was“, got *ƕas* „wer“
(*ƕ* ist *h* mit Lippenrundung), aber ai. *ká-s* „wer“, alb.
kɛ „wen“, lit. *kà-s* „wer“, abg. *kŭ-to* „wer“; für das Arm.
vgl. *elikʹ* = gr. *ἔλιπε* zu lat. *linquō*. Wie sich im letzteren
Falle das Tocharische verhält, ist noch nicht sicher zu bestimmen.

Von den *centum*-Sprachen werden die meisten in
Westeuropa, die *satem*-Sprachen dagegen sämtlich in Osteuropa und Asien gesprochen. Wenn letztere auch noch
in historischer Zeit größtenteils aneinandergrenzen, so
stimmt das beinahe noch zu den vorauszusetzenden vor-
historischen Verhältnissen, da sich gemeinsame Neuerungen
natürlich nur über ein zusammenhängendes Gebiet aus-
breiten können. Wenn die westeuropäischen Sprachen
nebst dem Griechischen sich weder an der einen noch
an der anderen Neuerung der osteuropäisch-asiatischen
Gruppe beteiligt haben, so waren sie offenbar durch eine
Verkehrsgrenze von dieser geschieden: es kann das entweder eine schärfere politische Grenze (möglichenfalls
auch Naturgrenze) gewesen sein, als wie solche unter
den Völkern mit *satem*-Sprachen selbst bestanden, oder
es hatten sich hier nichtindogermanische Stämme zwischen
die westeuropäischen und osteuropäischen Völker ge-
schoben. Letzteres könnte besonders durch eine Wande-
rung eines Teils der Indogermanen aus ihrer Urheimat
nach Westeuropa veranlaßt worden sein. Die Völker mit
satem-Sprachen dagegen dürften sich mehr allmählich
ausgebreitet haben.

Die Erhaltung der palatalen *k*-Laute im Tocharischen kann
einfach darauf beruhen, daß auch diese Sprache durch eine
schärfere Verkehrsgrenze von den *satem*-Sprachen geschieden
war; eine nähere Verwandtschaft des Tocharischen mit den
europäischen *centum*-Sprachen ist also nicht als notwendig
vorauszusetzen.

In den *centum*-Sprachen ist die einzige Neuerung, die sie alle abweichend von den *satem*-Sprachen getroffen hat, der Zusammenfall der palatalen Verschlußlaute mit den velaren, d. h. mit den hinteren *k*-Lauten ohne Lippenrundung, die selbst nirgends bezüglich ihrer Artikulationsstelle verändert wurden. Eine solche Neuerung lag allerdings so nahe, daß sie in jeder *centum*-Sprache selbständig auftreten konnte. Doch zeigen einzelne europäische *centum*-Sprachen noch besondere Übereinstimmungen untereinander. Was hier zunächst das Germanische und Italische betrifft, so ist die Zahl der nur diesen Sprachzweigen gemeinsamen Wörter beträchtlich größer als die, welche einer dieser beiden mit jeder einzelnen *satem*-Sprache, freilich auch bedeutender als die, welche das Germanische mit dem Griechischen teilt, während es mit den speziell im Germanischen und Keltischen vorhandenen Wörtern, wie wir sehen werden, eine eigene Bewandtnis hat. Es können nun nicht gut nur zufällig lediglich das Germanische und Italische die betreffenden Wörter bewahrt, vielmehr muß einmal ein auf Nachbarschaft, vielleicht sogar auf politischer Einheit beruhender engerer Verkehr zwischen Germanen und Italern bestanden haben. Da unter den nur dem Italischen und Germanischen gemeinsamen Wörtern auch die Zahl der Verba (wie got. *þahan* = lat. *tacēre*, got. *ana·silan* = lat. *silēre*, got. *tiuhan* = lat. *dūcere*, ahd. *watan* = lat. *vādere*, ahd. *sinnan* = lat. *sentīre*, ahd. *hlamōn* „rauschen, brausen“ = lat. *clamāre*) besonders groß ist, so kann es sich hier größtenteils nicht um Entlehnungen, sondern hauptsächlich nur um gemeinsame Erhaltung alter und gemeinsame Schöpfung neuer Wörter handeln. Dazu kommen zwei Übereinstimmungen in der Wortbildung, die Formung der Kollektivzahlen durch Anhängung von *-no-* an die Zahladverbien (so lat. *bīnī* „zwiefach“ aus **bis-nī* aus **duis-no-i* = aisl. *tuenner* für **tuenne* aus **twixnai* aus **duis-no-i*) und die der Adverbien zur Bezeichnung der Richtung „woher“ durch Hinzufügung von *-nē* (woraus lat. *-ne*, wie in *superne* „von oben“, got. *-na*, wie in *innana* „von innen“): in anderen idg. Sprachen ist hiervon auch spurenweise nichts erhalten.

Das Italische zeigt freilich auch auffallende spezielle Übereinstimmungen mit dem Keltischen. Zu nennen sind besonders die Bildung des Passivs und der Deponentia mit *r*-Suffixen (z. B. lat. *sequitur* = air. *sechedar*), die des Futurums durch Zusammensetzung mit Formen von der Wurzel *bheṷ* (lat. *amā-bō*, air. *no charub* „werde lieben“) und die des Gen. Sg. der *o*-Stämme auf *-ī* (lat. *hortī*, air. *maqi* „des Sohnes“).

Endlich hat aber das Italische auch gemeinsame Neuerungen speziell mit dem Griechischen aufzuweisen. Hierhin gehört besonders die Bildung des Gen. Pl. der *ā*-Deklination nach pronominaler Weise auf *-āsōm* statt *-ōm* (daher gr. ϑεάων, lat. *deārum*, osk. *egmāzum* „der Streitigkeiten“) und die Verleihung des femininen Genus an eine Anzahl von *o*-Stämmen, hauptsächlich bei Baumnamen, wie gr. φηγός = lat. *fāgus*.

Nur eine einzige Neuerung, den Wandel von t^st, das idg. beim Zusammenstoß zweier *t*-Laute (wie *d* und *t*) entstanden war, in *ss*, teilt das Italische zugleich mit zwei *centum*-Sprachen, dem Germanischen und Keltischen, im Gegensatze zu allen übrigen idg. Sprachen, soweit diese hier kontrollierbar sind. Das Indische hat hier *tt*, das Iranische, Baltoslawische und Griechische *st*. So steht neben ai. *átti* „er ißt“ aus **et^sti* aus **ed-ti* lit. *ēsti*, abg. *jastь*, neben ai. *sattás* „gesetzt“ aus **set^tós* aus **sed-tós* abktr. *hastō*, aber lat. *ob-sessus*, neben ai. *vittás* „gefunden, erkannt“ aus **uid-tós* gr. ἄϊστος „ungekannt“ (**ἄϜιστος*), aber air. *fiss* „Wissen“ aus **uid + *tu* und ahd. *giwisso* „gewiß“. Ein Wandel von t^st in *st* lag so nahe, daß er griechisch unabhängig von den *satem*-Sprachen stattgefunden haben kann, wie z. B. auch as. dialektisch sowie me. *tst* zu *st* wurde (as. *lasto* „der letzte" aus *laxto*, d. h. **latsto*, me. *last* aus *latst*). Dagegen ist der Übergang von *t*s*t* in *ss* so eigentümlich, daß er schwerlich in drei oder auch nur in zwei verschiedenen idg. Sprachzweigen selbständig aufgetaucht sein dürfte.

Irgendwie hervorstechende nur dem Germanischen und Keltischen oder nur dem Germanischen und Griechischen oder nur dem Keltischen und Griechischen gemeinsame Neuerungen sind nicht bekannt. Wahrscheinlich hat daher unter den *centum*-Sprachen das Italische in der Mitte gelegen, auf je einer Seite an das Germanische, das Keltische und das Griechische grenzend, ohne daß diese Sprachzweige untereinander sich noch geographisch berührten. Es wird so auch begreiflich, wenn die zuletzt besprochene Neuerung außer dem Italischen auch noch zwei ihm auf verschiedenen Seiten benachbarte Sprachzweige getroffen hat, ohne den dritten zu erreichen; doch könnte sich das Griechische damals auch schon aus der Nachbarschaft des Italischen entfernt gehabt haben. Letztere Möglichkeit würde gut dazu passen, daß sich die Griechen früh von den *centum*-Völkern getrennt und sich nach Durchbrechung des Gebiets der *satem*-Sprachen, wenigstens des Albanesischen, im südöstlichen Europa niedergelassen haben.

Aus einer erst späteren Nachbarschaft von Kelten und Germanen erklärt sich wahrscheinlich die große Zahl der nur dem Keltischen und Germanischen gemeinsamen Wörter. Es sind unter diesen nur wenige Verba, und die Substantiva gehören ihrer Bedeutung nach größtenteils bestimmten Kulturgebieten wie dem Staats- und Rechtsleben, dem religiösen Leben und dem Kriegswesen an*). Hieraus wird es wahrscheinlich, daß diese Wörter erst aus dem Keltischen in das

---

*) Sammlung Göschen Nr. 126, 2. Aufl. S. 44—54.

Germanische entlehnt worden sind, indem die Germanen Staats-
und Rechtsnormen, religiöse Anschauungen und Kriegsbräuche
der höher kultivierten Kelten annahmen. Auf dem Gebiete
des Lautwandels, der Flexion, Wortbildung und Syntax sind
gemeinsame Neuerungen speziell des Keltischen und Germanischen nicht wahrscheinlich gemacht worden. Es scheinen also
zur Zeit der Nachbarschaft von Kelten und Germanen ihre
Sprachen sich schon so fern gestanden zu haben, daß sie trotz
regsten Verkehrs gemeinsame Neuerungen nicht mehr durch-
führen konnten. Das würde sehr gut dazu passen, daß sie
zuvor lange Zeit durch das Italische von einander getrennt
gewesen wären: haben doch entsprechend auch die gemeinsamen Sprachneuerungen der Nordgermanen und Westgermanen
aufgehört, als der den ersteren zunächst sitzende Teil der
letzteren seine Heimat verließ, d. h. als die Angelsachsen aus
Schleswig-Holstein nach Britannien zogen.

V. Gliederung des Germanischen.

Wir kennen die Sitze der Germanen aus historischen
Quellen etwas genauer aus dem 1. Jahrhundert n. Chr.:
danach waren dieselben in dieser Zeit von Skandinavien bis
Mitteldeutschland ausgebreitet. Von den damals in Deutschland seßhaften germanischen Völkern, von denen wir aus
späterer Zeit größere Sprachdenkmäler besitzen, wohnten
in diesem Jahrhundert die Goten an der unteren Weichsel,
die Angeln und Sachsen, die Vorfahren der Engländer,
in Schleswig-Holstein, die Friesen bereits in Friesland,
südlich und südöstlich aber von den Sachsen in Holstein
und den Friesen die Stämme, aus denen später die
Deutschen hervorgingen. Von den Dialekten dieser Völker
stehen sich das Angelsächsische, Friesische und Deutsche
gegenüber dem Gotischen sowohl wie dem Nordischen
einander so nahe, daß sie als eine einzige westgermanische
Gruppe erscheinen. Die charakteristischste Neuerung des
Westgerm. bildet die Dehnung seiner Konsonanten vor *j*.

Daß sich die westgermanischen Dialekte gegenüber dem Nordischen enger zusammenschließen, liegt natürlich daran, daß zwischen ihren Gebieten das Meer eine Naturgrenze bildete. Was die Scheidung zwischen Wg. und Got. betrifft, so kann diese zum Teil vielleicht in einem Vorhandensein schärferer politischer Grenzen zwischen den westlichen und östlichen Stämmen in Deutschland begründet gewesen sein. Doch sollte man erwarten, daß diese Grenzen den Verkehr minder beschränkten als die Ostsee, die doch die Goten ebensogut wie die Westgermanen von den Nordgermanen schied. Wenn gleichwohl die dem Got. und Wg. gemeinsamen Neuerungen geringer an Zahl sind als die dem Nord. und Wg. und auch als die dem Got. und Nord. gemeinschaftlichen, so liegt das daran, daß die Goten nicht zu allen Zeiten in den Weichselgegenden gewohnt haben. Dem Got. und Wg. ist abweichend vom Nord. hauptsächlich nur gemeinsam die Schöpfung des Abstraktsuffixes *-assus*, das nur wg. in etwas veränderter Gestalt erscheint (z. B. in got. *ibnassus* „Ebenheit, Gleichheit", ags. *emness* aus *efncss*, as. *ebnissi* zu got. *ibns* „eben", ags. *efn*, as. *eban*), und erweitert *-inassus* (z. B. in got. *blōtinassus* „Gottesdienst" zu *blōtan* „opfern", ags. *éhtness* „Verfolgung" zu *éhtan* „verfolgen", as. *testōrnissi* „Zerstörung" zu *testōrian* „zerstören", ahd. *gihōrnissī* „Gehör" zu *hōrian* „hören"), sowie die Schaffung der Möglichkeit, von den Zahlwörtern 4—19 neben endungslosen Genitiven und Dativen auch solche nach der *i*-Deklination zu bilden.

Zu den zahlreichen gemeinsam vom Wg. und Nord. abweichend vom Got. vollzogenen Neuerungen gehört unter anderen die Bildung des Pronomens „dieser" durch Anhängung von *-si, -se* an alte Demonstrativformen: während es got. nur *sa* heißt, haben wir Wik. *sa-si*, aisi. *þes-se,*

ags. *đe-s*, as. *the-se*, ahd. *de-se* (später *deser*). Von
Lautwandlungen ist hierhin besonders der Übergang des
z in einen *r*-Laut zu rechnen (z. B. in aisl. *meire* „mehr",
ags. *mára*, ahd. *mēro* gegenüber got. *maiza*) sowie der
von anl. *þl* in *fl* (in aisl. *flýja* „fliehen", ahd. *fliohan* gegenüber got. *þliuhan*). Wenn es solchen Neuerungen ge-
lungen ist, über das Meer zu dringen, so würden sie
auch das Got. erreicht haben, wenn dies damals auch
noch südlich der Ostsee gesprochen worden wäre. Die
nordisch-westgermanischen Neuerungen können sich erst
vollzogen haben, nachdem die Goten bereits an das
Schwarze Meer gewandert waren, was erst zwischen 150
und 200 n. Chr. geschehen ist.

Wenn wg. das Substantiv ags. *hád* „Art und Weise,
Stand, Charakter", as. *hēd*, ahd. *heit* als Abstraktsuffix Verwendung gefunden hat (z. B. in ags *mǽdenhád* „Jungfrauen-
schaft", as. *magaðhēd*, ahd. *magetheit*, ahd. *kintheit, manheit*
usw.), so ist anzunehmen, daß die Ausbildung des Wortes
zum Suffix gleichfalls erst nach dem Abzuge der Goten von
der Ostsee ihren Anfang genommen hat, da im übrigen das
Wg. noch keine Substantiva gemeinsam mit dem Got., wohl
aber verschiedene gemeinsam mit dem Nord. zu Abstrakt-
suffixen gemacht hat (so z. B. got. nur *dōms* „Urteil", aber
aisl. auch *konungdómr* „Königtum", ags. *cynedóm*, as. *ku-
ningdōm*).

Zu den gemeinsamen Neuerungen des Nord. und des
Got., die dem Wg. fehlen, gehört besonders der eigen-
tümliche Übergang von urg. *ww* in *ggw* und urg. *jj* in
ggj, welches letztere gotisch weiter zu *ddj* wurde. Gemeinsam in Abweichung vom Wg. ist dem Got. und
Nord. auch die Neuerung, daß die ursprünglich nur von
Verben gebildeten Inchoativa auch von Adjektiven abgeleitet werden können: so ist nach dem Muster von Inchoativen wie got. *þaúrsnan* „dürr werden" = aisl. *þorna*
von got. *þaírsan* „verdorren" = aisl. *þerra*, weil das Wort
auch zu got. *þaúrsus* „dürr" = aisl. *þurr* in Beziehung

gesetzt werden konnte, zu got. *fulls* „voll“ = aisl. *fullr*
ein got. *fullnan* „voll werden“ = aisl. *follna* gebildet
worden. Die Neuerungen dieser Art müssen aus einer
Zeit herrühren, in der das Westgermanische vom Gotischen räumlich getrennt, das Nordische ihm aber benach-
bart war. Die Erinnerung an eine solche Zeit aber hatte
sich in den vom gotischen Historiker Jordanes erwähn-
ten gotischen Liedern erhalten, nach denen die Goten
erst aus Skandinavien in die Weichselgegenden gekommen
waren. Von dem Gotischen in Skandinavien sind höchstwahrscheinlich noch nicht die übrigen dort gesprochenen
Mundarten als ein besonderer relativ einheitlicher Dialekt
geschieden gewesen.

Man hat also, wenn man von den ältesten Verhältnissen ausgeht, das Germanische zunächt in Gotonordisch
und Westgermanisch zu gliedern. Selbstverständlich sind
aber bei Durchforschung des Germanischen auch die
späteren, durch die Wanderungen der Goten veränderten
Verkehrsverhältnisse stets in Betracht zu ziehen.

Von den außer dem Gotischen ursprünglich im östlichen
Deutschland gesprochenen Mundarten wie dem Skirischen,
Burgundischen, Wandalischen sind so wenig Reste und dazu
noch in fremder Überlieferung erhalten, daß wir außerstande
sind zu sagen, welche von ihnen und wie weit dieselben an
den dem Got. und Nord. gemeinsamen Neuerungen teil-
genommen hatten: wir können sie daher überhaupt nicht
klassifizieren. Wenn das Wandalische in Übereinstimmung
mit dem späteren Gotisch urg. $\bar{e}$ in $\bar{\imath}$ verwandelt hat (z. B. in
Vitarit = got. *Wita-rēþs*), so liegt das daran, daß es in Süd-
osteuropa in gotische Nachbarschaft gerückt war, gerade wie
sich umgekehrt der Wandel des urg. $\bar{e}$ in $\bar{a}$ im Burgundischen
(z. B. in *Gundomarus* = got. **Gunþa-mērs*) aus dessen
späterer Nachbarschaft mit dem Westgermanischen am Mittel-
rhein und der in Südgallien erklärt.

Etwas mehr weiß man über das Krimgotische. Wie
krimgot *ada* „Ei“ aus **addi* zeigt, hatte dieser Dialekt wie
das Gotonordische *jj* in *ggj* (wie in aisl. *egg* „Ei“ aus **aggi*

aus *aggjom aus *ajjom) und dann weiter wie das Gotische
in *ddj* verwandelt. Doch kann das Krimgotische keine wirk-
liche gotische Mundart gewesen sein, da es verschiedene dem
Ostgot. und Westgot. gemeinsame Neuerungen, wie besonders den spontanen Wandel von urg. *e* in *i* z. B. in *reghen*
„Regen" gegenüber got. *rign* und von urg. *o* in *u* z. B. in
goltz „Gold" gegenüber got. *gulþ* nicht mitgemacht hat. Dagegen hat es gewisse dem Got. fehlende Wandlungen gemeinsam mit dem Wg. durchgeführt, so vor allem den Schwund
des auslautenden -*z* außer in betonter Silbe, d. h. in einsil-
bigen Pronominalformen: vgl z. B. krimgot. *tag* „Tag" = ags.
dæg, as. *dag*, ahd. *tag* gegenüber got. *dags* (-*s* aus -*z*), aisl.
dagr (-*r* aus -*z*), aber krimgot. *ies* „jener, er" (mit -*s* aus -*z*
wie in got. *is*) wie ahd. *er* (-*r* aus -*z*). Das Krimgotische
wird daher ursprünglich in Skandinavien (oder auf einer dä-
nischen Insel) *jj* in *ggj* verwandelt, dann wie das Gotische
nach Deutschland versetzt dort gemeinsam mit diesem *ggj* zu
ddj gemacht, aber in größerer Nähe des Westgermanischen
befindlich mit letzterem noch mehr gemeinsame Neuerungen als
das Gotische durchgeführt haben. Es ist, wie sich aus einer
ethnologischen Betrachtung ergibt, höchstwahrscheinlich die
Sprache der Heruler gewesen, die vor ihrem Zuge nach der
Krim etwa in Mecklenburg gesessen haben werden.

Beim Nord. läßt sich etwa seit 700 n. Chr. (d. h.
seit Beginn der Wikingerzeit) eine Gliederung in Westnordisch und Ostnordisch erkennen, von denen sich ersteres
wieder in eine größere Anzahl von Mundarten, darunter als
die wichtigsten Isländisch und Norwegisch (daneben Färö-
isch u. a.), letzteres in Gutnisch, Schwedisch und Dänisch
spaltete. Island wurde im 9. Jahrh. n. Chr. von Norwegen
aus kolonisiert und blieb mit diesem in stetigem engen
Verkehr. Innerhalb des Ostnord. nimmt das Altschwed.
wie geographisch so auch sprachlich eine Mittelstellung
zwischen dem Altgutn. und Altdän. ein, doch so, daß
es letzterem näher steht. Dänemark ist schon Jahrhun-
derte vor der Dialektspaltung des Nord. von Schweden
aus besiedelt worden, und wenn es später mehr mit dem
Schwedischen als dem Norwegischen eine gemeinsame

Entwickelung durchgemacht hat, so muß es auch damals
noch durch engeren Verkehr mit Schweden verbunden
gewesen sein: haben doch die schwedischen Land-
schaften Halland und Schonen bis in die Neuzeit politisch zu Dänemark gehört. Als˙ eine gemeinsame
Neuerung des Westnord. abweichend vom Ostnord ist
unter anderem der Übergang von $\bar{e}$, $\bar{\imath}$, $\bar{y}$ vor Vokal in
konsonantisches i (j, geschrieben i) z. B. in *siá* (einsilbig)
„sehen" gegenüber ostnordisch *sēa* (zweisilbig) zu nennen,
als eine gemeinsame des Ostnordischen gegenüber dem
Westnordischen unter anderen die Verdrängung der *r*-
Präterita durch das schwache Präteritum z. B. in ostnord. *sāþe*, „er späte" neben westnord. *sere*. Daß sich
noch keine Dialektspaltung innerhalb des Urnordischen
(d. h. vor 700 n. Chr.) erkennen läßt, liegt zum Teil nur
an dem geringen Umfange der Inschriften aus dieser Zeit,
da wenigstens eine Tatsache auf einen schon älteren
Unterschied im Nordischen hinweist. Got. und ostnord.
ist nämlich urg. $\bar{u}$ vor Vokal zu einem $\bar{o}$-Laut geworden,
westnordisch dagegen wie westgermanisch $\bar{u}$ geblieben:
so gehört zu ai. *ábhūt* = gr. ἔφϋ, lat. *fui* ahd., as. *būan*,
„wohnen", ags. *búan*, westnord. *búa*, aber ostnord. *bóa*,
got. *bauan*, wobei das *au* letzteren Wortes als offenes $\bar{o}$
wie in *Trauada* für Τρῳάς zu lesen ist. Dafür abeṙ, daß
die Goten nicht aus Norwegen gekommen sind, spricht
erstens ihr Sitz in den Weichselgegenden, zweitens der
mit dem Gotennamen verwandte Name der Gauten in
Schweden und drittens der mit ersterem sogar identische
der Bewohner der Insel Gotland. Dann aber hat der
Wandel höchstwahrscheinlich schon stattgehabt, als die
Goten noch in Schweden gesessen haben.

Auch innerhalb des Westgermanischen sind wieder
zwei Gruppen zu scheiden, das Anglofriesische und das

Deutsche. Nach dem Abzuge der Angeln und Sachsen aus Schleswig-Holstein nach Britannien um 450 n. Chr. werden schwerlich noch so enge Verkehrsbeziehungen zwischen diesen Stämmen und den Friesen fortbestanden haben, wie sie bis dahin existiert hatten, und es ist daher sehr wahrscheinlich, daß die nicht geringe Anzahl der Neuerungen, die das gesamte Anglofriesisch im Gegensatze zum Deutschen getroffen hat, durchweg noch der Zeit vor 450 n. Chr. angehört. Die Tatsache, daß zwischen den Jüten, Angeln, Sachsen und Friesen selbst ein weit engerer Verkehr als zwischen ihnen und den südlicheren Völkern der Westgermanen geherrscht hat, wird sich aus einem unter ersteren bestehenden Bundesverhältnisse erklären, wie denn die Jüten, Angeln und Sachsen auch gemeinsam Britannien erobert und nach dem griechischen Geschichtschreiber Prokop sich auch Friesen hieran beteiligt haben; vielleicht haben diese Stämme auch einen gemeinsamen Kult mit einem Heiligtum als Mittelpunkt besessen und noch früher sogar ein einziges Volk gebildet. Als anglofriesische Neuerungen seien genannt die Tonerhöhung des *a* in geschlossener Silbe zu einem *e*-Laut, ags. *æ, e,* afr. *e,* z. B. in ags. *sæt* „saß", afr. *set* neben as., aisl., got. *sat,* ahd. *saz,* und der Wandel von nasaliertem *ā* vor *ht* in nasaliertes *ō,* z. B. in ags. *þōhte* „dachte", afr. *thochte* (aus **thōhte*) gegenüber as., ahd. *thāhta,* got. *þāhta,* aisl. *þátta.*

Als anglofriesische Untergruppen sind zunächst wieder das Angelsächsische und Friesische zu bezeichnen, deren Hauptunterschied in der Behandlung der germanischen *ai* und *au* besteht. Urg. *ai* wird ags. regelmäßig *á,* afr. dagegen je nach den Nachbarlauten *ā* oder *ē;* urgerm. *au* wird ags. *éa,* afr. *ā.* Daher ags. *mára* „mehr" (got. *maiza*) = afr. *māra,* aber ags. *stán* „Stein" (got. *stains*)

= afr. *stēn,* ags. *hléapan* „laufen" (got. *hlaupan*) = afr. *hlāpa.*

Das Angelsächsische gliedert sich wieder gemäß der Teilung des Volkes in Sachsen, Angeln und Jüten in das Sächsische im Süden, das Anglische nördlich davon und das Kentische im äußersten Südosten. Der Charakter des Sächsischen ist am schärfsten ausgeprägt im Westsächsischen (in Wessex, d. h. Westsachsen); unter den anglischen Mundarten ist zwischen dem Mercischen in Mittelengland und dem Northumbrischen in Nordengland zu scheiden. — Das Friesische besteht aus dem Ostfriesischen zwischen Weser und Lauwers, dem jetzt westfriesisch genannten Mittelfriesischen zwischen Lauwers und Fli, dem jetzt erloschenen ursprünglichen Westfriesischen westlich vom Fli, dem Nordfriesischen an der Westküste Schleswigs und auf den Halligen und dem (auch nordfriesisch genannten) Inselfriesischen auf Helgoland, Amrum, Föhr und Sylt. Das festländische Nordfriesland (nebst den Halligen) ist wahrscheinlich erst im 9. Jahrhundert n. Chr. vom alten Westfriesland aus kolonisiert worden. Das seit Alters auf Föhr, Sylt und Amrum heimische Inselfriesische scheint den Übergang zum Westsächsischen gebildet zu haben.

Die deutschen Mundarten haben abweichend vom Anglofriesischen eine einzige gemeinsame Neuerung, den Wandel von ausl. *-a* aus idg. *-ō* zu *-o,* durchgeführt, wie der Nom. Sg. der schwachen Maskulina z. B. ahd., as. *hano* „Hahn" gegenüber ags. *hona* „Hahn", afr. *kempa* „Kempe" zeigt; daß auch das Deutsche hier ursprünglich *-a* hatte, beweisen besonders der suebische Name *Nasua* bei Cäsar und der batavische *Chariovalda* aus dem Jahre 16 n. Chr. Die deutschen Stämme haben aber nicht wie die anglofriesischen einen einheitlichen Bund gebildet, und nur an der relativen Abgeschlossenheit der letzteren lag es, wenn eine von einem anderen Punkte des westgermanischen Gebietes sich ausbreitende Neuerung nicht auch über ihre Grenze gedrungen ist.

Das Deutsche gliedert sich wieder nach den Völkerschaften, die sich seit dem 3. Jahrhundert n. Chr. in Deutschland bildeten. Es sind das die Sachsen, Thüringer, Franken, Alemannen (Schwaben) und Bayern; nur läßt sich bei den Franken wegen ihrer eigentümlichen geograph schen Aus- breitung absolut nicht von einer einheitlichen Mundart reden. Besonders wurde das Fränkische durch die etwa um 600 n. Chr. erfolgende hochdeutsche Lautver-ch ebung, durch welche wg. *p, t, k, d* in andere Laute verwandelt wurden, in verschiedene Teile zerrissen. Am stärksten ist die Verschiebung im Süden Deutschlands, im Alemannischen und Bayrischen (die man auch als oberdeutsch zusammenfaßt) durchgeführt, Dann folgt das Ostfränkische mit den Hauptorten Fulda, Würzburg, Bamberg, dann das Thüringische, dann das Rheinfränkische, die Mund- art der alten Provinz Francia Rhinensis, von Ostfranken durch Vogelsberg und Spessart getrennt, mit den Hauptorten Mainz, Frankfurt, Worms, Speier, Weißenburg; auch das Hessische, westlich vom Thüringischen, gehört hierzu. Weiter folgt das Mittelfränkische von den Moselgegenden bis zur Linie Düsseldorf-Aachen. Die Mundarten vom Ostfränkischen bis zum Mittelfränkischen faßt man auch als mitteldeutsch zusammen. Dem sich nördlich an das Mittelfränkische an- schließenden Niederfränkischen mangelt die hochdeutsche Laut- verschiebung überhaupt. Das gleiche gilt auch für das Säch- sische, das man deshalb auch mit dem Niederfränkischen als Niederdeutsch zusammenfaßt, jedoch vielfach auch allein so benennt; das Oberdeutsche und Mitteldeutsche zusammen nennt man auch Hochdeutsch.

Die Grenze des Herzogtums Sachsen lief nördlich von Hessen und Thüringen in ziemlich westöstlicher Richtung, machte aber am Südostfuße des Harzes eine scharfe Biegung nach Süden und zog sich so noch bis Merseburg. Genau bis zu dieser eigentümlich gestalteten politischen Grenze ist die hochdeutsche Lautverschiebung gedrungen, indem sie auch das ganze Gebiet östlich der Linie vom südöstlichen Harz bis Merseburg frei gelassen hat, was um so mehr auffällt, als sie sonst nicht nur nach Norden, sondern auch gerade nach Westen hin abnimmt: hat doch das größtenteils südwestlich vom Thüringischen liegende Rheinfränkische wg. *d* nicht mehr zu *t* und wg. anl. *p* nicht mehr zu *pf* verschoben.

Innerhalb des politisch geeinigten Fränkischen setzte sich dann die Lautverschiebung auch noch westlich vom Sächsischen in vermindertem Maße nordwärts im Mittelfränkischen fort,·

erlahmte hier aber bald, da sie nicht mehr in ihrer früheren
westöstlichen Breite weiterdringen konnte. Da es aber hier
keine so scharfe politische Grenze gab, so wurde noch in einem
Teile des Niederfränkischen — und zwar wieder im südöstlichsten
— wenigstens ausl. *k* in *ch* verschoben (z. B. in *ich* „ich" aus *ik*).

Die Bezeichnungen des Sächsischen und Niederfränkischen
als Teile des Deutschen müssen allerdings insofern eingeschränkt werden, als diese Mundarten auch anglofriesische
Spuren aufweisen. In den meisten altsächsischen Sprachdenk-
mälern finden sich einzelne anglofriesische Formen verstreut,
so z. B. öfter Wörter mit *e* für *a* in geschlossener Silbe. Es
wird das so zu erklären sein, daß über die deutsch-sächsischen
Lande ein anglofriesischer Adel ausgebreitet war, aus dessen
Sprache die Majorität des Volkes einzelnes aufnehmen konnte.
Dieser Adel wird vorwiegend dem sächsischen Zweige der
Anglofriesen angehört haben, der sein Gebiet von Holstein
aus weit über Norddeutschland ausgedehnt und daher auch
den unter seiner Herrschaft geeinten Stämmen den Namen
Sachsen gegeben hatte. Daß freilich mit den Sachsen auch
verbündete Friesen kamen, zeigt die friesische Mundart Merse-
burgs in altsächsischer Zeit. Dies Friesisch weist keine deutsche
Beimischung auf: offenbar war die Festung Merseburg an
der äußersten Südostspitze des eroberten Landes gegen die
Thüringer und Slawen von den Eroberern selbst angelegt und
besetzt worden. Doch hat auch das Altsächsische selbst in
bestimmten Fällen anglofriesische Eigentümlichkeiten durchgeführt: so hat es im Nom. Sg. M. der Komparative regelmäßig -*a* für -*o* z. B. in *liobora* „lieber" neben *liobo* „der liebe"
eingesetzt; nur die zu Substantiven gewordenen ursprünglichen Komparative *aldiro* „Vorfahr" und *iungro* „Jünger"
zeigen hier noch das ursprüngliche -*o*. Andere aus dem Anglofriesischen in das Altsächsische eingedrungene Eigenheiten
lassen sich noch neuniederdeutsch erkennen. Deutlich tritt
das z. B. hervor in mnd., nnd. *gōs* „Gans" = ags. *gós*, das nur
über **gons* aus *gans* entstanden sein kann, da anglofriesische
Nasale vor den Spiranten *s*, *þ*, *f* mit Dehnung des vorausgehenden Vokals ausfallen, *an* aber zu *on* (z. B. in ags., afr.
lond „Land") geworden ist. As. (und mnd., nnd.) finden sich
nun zwar auch Wörter mit Verlust des Nasals vor Spirant
und Dehnung des vorausgehenden Vokals, z. B. *fīf* „fünf"
= ags. *fíf* gegenüber ahd., got. *fimf*, niemals aber Wandel von

an zu *on*, außer wo sich eben wie in *gōs on* vor Spirant in
ō verwandelt hat (wie in as. *ōthar* „der andere" neben *ander*).
Folglich haben die deutschen Sachsen *gōs* wie *fīf* und in
Westfalen *ūs* „uns" dem Anglofriesischen entnommen; ost-
fälisches *uns* neben *gōs* (oder daraus *gaus*) spricht gleichfalls
dafür, daß man es hier nur mit der Übernahme einzelner
Wörter zu tun hat; diese Wörter wurden deshalb gern entlehnt, weil sie durch starke Abweichungen von den deutschen
Formen auffielen. Aus der Konjugation gehört hierhin die
zum Anglofriesischen stimmende stete Gleichheit der drei
Personen des Plurals im As., die, nach dem Mnd. und Nnd.
zu schließen, überall bis zur Grenze gegen die Thüringer und
Franken, also so weit die anglofriesischen Sachsen ihr Gebiet
erweitert haben, vorgedrungen ist. Auch darin stimmt das
As. zum Anglofriesischen, daß der Akk. Sg. des Pronomens
der ersten und zweiten Person die Form des Dat. annehmen
kann; mnd. hat sich dies dazu entwickelt, daß entweder der
Akk. durchweg die Form des Dat. oder umgekehrt der Dat.
durchweg die des Akk. erhalten hatte: da die Gleichheit beider
Kasus überall wieder genau bis zur hochdeutschen Grenze
vorgedrungen ist, so ist auch sie auf die erobernden Anglofriesen zurückzuführen.

Die letzte Erscheinung und der Nasalverlust vor Spiranten
mit Vokaldehnung in einzelnen Wörtern sind auch nieder-
fränkisch: es müssen also auch hier einmal Anglofriesen eingedrungen sein. Dieselben können aber nicht so zahlreich
oder mächtig wie auf sächsischem Gebiete gewesen sein, da
hier die drei Pluralpersonen ihre voneinander verschiedenen
Formen gewahrt haben; auch lautet es mnl. *gans* (neben *fīf*, *ūs*).

Zu den deutschen Mundarten gehört auch noch das Lango-
bardische, das im Nom. Sg. der schwachen Maskulina gleichfalls -*a* zu -*o* (z. B. in *sporo* „Sporn" = ahd. *sporo*) hat werden
lassen. Ursprünglich an der Niederelbe gesprochen, aber schon
im 3. Jahrhundert n. Chr. weit nach Südosten verpflanzt, zeigt
es in den erhaltenen Resten kaum noch etwas, was seine
alte Herkunft verriete. Dagegen hat es, im 6. Jahrhundert
nach Italien versetzt, mit dem ihm nun benachbarten Oberdeutsch die hochdeutsche Lautverschiebung gemeinsam durchgeführt (z. B. in *ih* „ich" = ahd. *ih* gegenüber as., got. *ik*, in
sculdhais „Schultheiß" = ahd. *scultheizo* gegenüber mnd. *schult-
hete*, ags. *sculdhǣta*).

In den folgenden Abschnitten werden von den germanischen Dialekten im allgemeinen nur die charakteristischsten Typen, das Gotische, Altisländische, Angelsächsische (Westsächsische), Altsächsische und Althochdeutsche, Berücksichtigung finden.

Zweiter Teil. Lautlehre.

I. Betonung.

1. Satzakzent.

Nach dem Satzakzent regelt sich die Betonung der einzelnen Wörter im Satze. Bereits indogermanisch muß derselbe insofern ein musikalischer, d. h. nach Höhe und Tiefe abgestufter, gewesen sein, als er die Art des Satzes als Aussagesatz, Fragesatz, Wunschsatz usw. charakterisierte. Dagegen war er in bezug auf das logische Verhältnis der Wörter zueinander ein exspiratorischer, d. h. nach Stärke und Schwäche verschiedener, indem natürlich die wichtigeren Wörter stärker, die unwichtigeren schwächer gesprochen wurden. Daher wurden gewisse an sich unwichtige Wörter, besonders verschiedene Partikeln, stets mit schwachen Tone gesprochen, wobei sie meist an das vorangehende Wort, auf das sie sich bezogen, angelehnt wurden (daher enklitisch genannt). Hierhin gehört z. B. die an Formen der Personalpronomina sich anlehnende Partikel *ge, die in gr. ἐμέ-γε und got. mi-k „mich“ erscheint, in welchem letzteren Worte das e von *ke aus *ge nicht verloren gegangen sein könnte, wenn es einen selbständigen Starkton gehabt hätte. Anderen Wörtchen wiederum folgte erst das Wort, an das sie sich in ihrem Tone anlehnten (daher proklitisch genannt); hierhin gehören die Präpositionen wie idg. *en „in“: man vergleiche gr. ἐν ᾿Αϑήναις und noch nhd. in Athen. Überhaupt scheint der idg. Satzakzent germanisch im allgemeinen unverändert geblieben zu sein.

2. Wortakzent.

Nach dem Wortakzent regelt sich die Betonung der einzelnen Silben im Worte. Für die idg. Ursprache ist zu erschließen, daß man eine Silbe um so höher oder tiefer sprach, mit um so stärkerem oder schwächerem Luftstrome man sie hervorstieß, d. h. daß der musikalische und der exspiratorische Akzent zusammenfielen. Es ist das wohl überhaupt die häufigste Art der Wortbetonung, die z. B. auch im Neuniederdeutschen und in der norddeutschen Aussprache des Hochdeutschen herrscht.

Wie sich weiter aus dem Vergleiche der idg. Sprachen, besonders des Altindischen und Griechischen, ergibt, war der Wortakzent ein freier, d. h. die Stellung des Haupttons war von derjenigen der Silben zueinander, ihrer Zahl und Quantität unabhängig. Derselbe konnte ebensogut wie die Wurzelsilbe auch ein wortstammbildendes Suffix oder eine Kasus- oder Personalendung treffen. So lautet z. B von dem Worte „Vater" der Vokativ ai. *pi-tar*, gr. πά-τερ mit Wurzelbetonung, der Akk. ai. *pi-tár-am*, gr. πα-τέρ-α mit Betonung des stammbildenden Suffixes, der Gen. gr. πα-τρ-ός mit Betonung der Kasusendung; letztere Betonung haben auch andere Genitive wie ai. *pad-ás* „des Fußes", gr. ποδ-ός.

Germanisch wurde der Haupton überall auf die Anfangssilbe zurückgezogen, wie die Metrik der altgermanischen Dialekte, die Lautverluste der übrigen Silben und die Aussprache in den lebenden germanischen Mundarten erweisen. Auf diese Weise hat meistens die Wurzelsilbe den Haupton erhalten; wo indes eine Reduplikationssilbe vorhanden war, zog diese den Akzent auf sich, weshalb es im ursprünglichen Perfektum, das den Ton idg. (wie noch ai.) auf der Wurzelsilbe getragen hatte. z. B. aisl *rera* „ich ruderte" aus *rerō mit Kürzung des Wurzelvokals infolge seiner Unbetontheit heißt.

Eine scheinbare Ausnahme bilden die Vokalkomposita, bei denen die erste Silbe des verbalen Bestandteils, nicht die des am Wortanfang stehenden präpositionalen den Haupton erhielt. Es lag das daran, daß zur Zeit der Akzentzurückziehung Präposition und Verbum noch nicht zu einem einheitlichen Worte verschmolzen waren, wie dieselben denn auch noch got. durch enklitische Partikeln z B in *ubuhwōpida* „und schrie auf" (*uh* „und"), *usnugibiþ* „gebt nun her" (*nu* „nun") voneinander getrennt werden konnten. So begreift es

sich auch nur, weshalb die got. Präposition *and* „entlang,
entgegen" in nominalen Zusammensetzungen, z B. in *anda-
waúrd* „Antwoit", noch in ihrer älteren Gestalt *anda*, in
verbalen aber gleichfalls nur als *and-*, z. B. in *andwaúrdjan*
„antworten", erscheint: *-a* war got. nur ausl., nicht auch inl.
geschwunden. Wie hier so war auch sonst in den Nominal-
kompositen, die schon idg. einheitliche Wörter gewesen waren,
der Akzent stets auf die Anfangssilbe des ersten Bestandteils
zurückgezogen worden. Diese Verschiedenheit der Betonung
führte ahd. auch zu Verschiedenheiten der Laute, indem die
Vokale vortoniger Silben verändert wurden, die haupttoniger
unverändert blieben: daher z. B. *intlāzan* „entlassen, loslassen"
neben *antlāz* „Loslassung" und noch nhd. *erteilen* aus ahd.
irteilen neben nhd. *urteil* = ahd. *urteil*.

Die nichthaupttonigen Silben zerfallen wieder in neben-
tonige und unbetonte: so ist in nhd. *übermut* die zweite Silbe
unbetont, die dritte nebentonig. Unter den nebentonigen
Silben ist wieder zwischen stark und schwach nebentonigen
zu scheiden. Welche Silben einen starken und welche einen
schwachen Nebenton trugen, läßt sich z. T. aus der Metrik
ersehen: danach waren z. B. ags. lange Mittelsilben, die auf
eine lange Wurzelsilbe folgten, stark nebentonig, wie in
ǽrestu „erster", kurze aber, die auf eine solche folgten, schwach
nebentonig wie in *fundode* „bemühte mich" (lang, d. h. po-
sitionslang ist auch germ. jede Silbe, in der dem Vokal zwei Kon-
sonaten folgen).

3. Silbenakzent.

Nach dem Silbenakzent regelt sich die Betonung der
einzelnen Laute oder Lautteile einer Silbe. Den am stärksten
in einer Silbe gesprochenen Laut nennt man silbisch, die
übrigen unsilbisch. Auch hat man die Bezeichnung „Silbengipfel" für den oder für die stärksten Laute oder Lautteile
einer Silbe.

Am stärksten wird in einer Silbe gewöhnlich ein Vokal
gesprochen, zuweilen jedoch auch eine Liquida (*r, l*) oder ein
Nasal (*m, n*), z. B. *l* in der zweiten Silbe von nhd. *wandelt*,
n in der zweiten von nhd. *laden*, wo der Vokal überhaupt
nur orthographisch ist. Man bezeichnet die silbischen Liquidä
und Nasale durch *r̥, l̥, m̥, n̥*.

Umgekehrt kann ein Vokal auch unsilbisch werden. Wenn
wir z. B. nhd. *lilie* zweisilbig sprechen, so ist das zweite *i*

ein unsilbisches. Das englische *w* ist überhaupt keine Spirans *w*, sondern nur ein unsilbisches *u*. Unsilbisch sind *i* und *u* auch als zweite Teile von Diphthongen wie *ei, ai, oi, eu, au, ou*, in denen eben nur die *e, a, o* die Silbengipfel bilden. Man nennt die unsilbischen Vokale auch Halbvokale und bezeichnet sie durch *i̯* und *u̯*.

Eingipflig oder gestoßen betont sind solche Silben, in denen nur ein Laut oder Lautteil enthalten ist, zu dem hin die Stärke der Atmung zunimmt, oder von dem aus sie abnimmt, oder bei dem beides zugleich stattfindet, zweigipflig oder geschleift betont (mit ~ bezeichnet) dagegen solche, die zwei solcher Laute oder Lautteile in sich schließen. In letzterem Falle liegt also zwischen den beiden Silbengipfeln ein schwächer betonter Silbenteil; auch die beiden Silbengipfel selbst werden verschieden stark gesprochen. Mit der Zweigipfligkeit einer Silbe sind meist auch parallele Schwankungen innerhalb ihrer Tonhöhe verbunden. Zweigipflige Silben sind natürlich stets lang, meist sogar länger als lange eingipflige.

Wie die meisten Sprachen überhaupt nur eingipflige Silben kennen, läßt sich bei zweigipfligen auch meist ihr Ursprung aus eingipfligen nachweisen. Zweigipflige Silben können entstehen durch Vokalkontraktionen z. B. in gr. *πλεῖ* aus *πλέε*, aber auch durch Verlust des Vokals einer folgenden Silbe z. B. in neumittelfränkisch *hūs* „dem Hause" aus *hūse* neben *hūs* „das Haus", bisweilen jedoch auch durch spontane Dehnung derselben wie auch bei bestimmten Vokalen im Neumittelfränkischen, wo z. B. jedes mhd. *ā* zu *ō* geworden ist (*rāt* „Rat" also zu *rōt*).

Zweigipflige Silben unterscheiden in der Schrift von den idg. Sprachen das Griechische und das Litauische. Wie unter anderem der Parallelismus von gr. Nom. *ϑεά*, Gen. *ϑεᾶς*, lit. Nom. *gerà*, zusammengesetzt *geró-ji* „die gute", Gen. *gerõs* zeigt*), war der Unterschied zwischen eingipfliger und zweigipfliger Betonung schon idg. vorhanden. Daß er auch noch ai. existiert hat, zeigt der in den ältesten indischen Hymnen bestehende Brauch, bestimmte lange Silben nur einsilbig, bestimmte andere entweder einsilbig oder zweisilbig zu lesen;

---

*) Idg. *ā* wird lit. *ō*, das bei gestoßenem Ton in Endsilben zu *a* gekürzt wird. Man bezeichnet lit. gestoßene Länge durch ´, betonte Kürze durch `.

da zu ersteren z. B. das -ā des Nom. áśvā „Stute", zu letzteren das ā des Gen. áśvās gehört, so besteht auch hier ein
Parallelismus zu ϑεά, ϑεᾶς und geróji, gerōs und ist deshalb
-ās in áśvās geschleift zu lesen. Auch das Germanische hatte
den Unterschied zwischen ein- und zweigipfliger Betonung
noch in den ersten Jahrhunderten n. Chr. erhalten, da seine
um diese Zeit eintretenden Auslautskürzungen sich z. T. nach
diesem Unterschiede regelten.

II. Vokalismus.

1. Spontane Lautentwickelung.

A. Einfache silbische Vokale.

Das Idg. besaß folgende einfache silbische Vokale:
i, ī, u, ū, e, ē, o, ō, a, ā, ə (letzteres ein überkurzer Vokal
von ungewisser Klangfarbe). Germ. sind diese folgender-
maßen vertreten:

1) i bleibt in haupttoniger Silbe i: lat. piscis, got.
fisks „Fisch", aisl. fiskr, ags., as. fisc, ahd. fisk. Ebenso
in nichthaupttoniger: lat. mare (aus *mari, aus Nom.-Akk.
Pl. maria erschlossen), altags., as. meri „Meer", ahd. meri,
got. nur in marisaiws, wörtlich „Meersee".

2) ī bleibt haupttonig ī: lat. suīnus „vom Schwein
stammend", got. swein „Schwein", aisl. suín, ags. swín,
as., ahd. swīn. Ebenso nichthaupttonig: lat. velīmus,
got. wileima „wir wollen" (eigentlich „wir mögen wollen").

3) u wird haupttonig o, kehrt jedoch got. in u zurück:
ai. yugám „Joch", gr. ζυγόν, lat. iugum, got. juk, aisl. ok,
ags. ʒeoc (u wird ags. nach ʒ zu eo), ahd. joh. Nichthaupttonig erscheint idg. u stets wieder als u: ai. sūnúś
„Sohn", lit. sūnùs, got. sunus, aschw. Wik. sunuʀ, ags.,
as., ahd. sunu.

4) ū bleibt haupttonig ū: ai. mūś „Maus", lat. mūs,
aisi, ags. mús, mnd., ahd. mūs. Für nichthaupttoniges
ū fehlen Beispiele.

5) *e* bleibt haupttonig *e*, wird nur got. *i*: gr. *ἔδομαι*, lat. *edere*, aisl. *eta* „essen“, ags., as. *etan*, ahd. *ezzan*, aber got. *itan*. Nichthaupttonig wird *e* schon urg. *i*: gr. *θύγατρες*, urn. *dohtriʀ* „Töchter“; gr. *ὠλένη*, ahd. *ʾlina* „Elle“.

6) *ē* bleibt haupttonig got *ē*, wird nord.-wg. *ā*, kehrt aber anglofriesisch in *ē* (westsächs. *ǽ*) zurück: gr. *ἔδ-ηδα*, lat. *ēdi*, got. *fr-ēt* „fraß“, aisl. * át* „aß“, westsächs. *ǽt*, anglisch *ét*, as. *āt*, ahd. *āz*. Nichthaupttonig bleibt *ē* auch nord.-wg. und steht so unverändert auch noch ahd. z. B. in *habēmēs* „wir haben“ neben lat. *habēmus*, wird aber aisl. und ags. zu *e* gekürzt: got. *habaidēs* „du hattest“, aisl. *haiþer*, ags. *hæfdes*.

7) *o* wird haupttonig *a*: lat. *molere*, got., as., ahd. *malan* „mahlen“, aisl. *mala*; lat. *porcus*, ahd. *farh* „Schwein, Ferkel“, ags. *fearh* (*a* vor *rh* ags. zu *ea*). Ebenso nichthaupttonig: dorisch *φέροντι* „sie tragen“, got. *baírand*, aisl. *bera*, ags., as. *berađ*, ahd. *berant*.

8) *ō* bleibt haupttonig *ō* (ahd. später *oa*, dann *ua*, zuletzt *uo* geworden): gr. *θωμός* „Haufe“, eigentlich „Setzung“ (zu *τίθημι*), got. *dōms* „Urteil“, aisl. *dómr*, ags. *dóm*, as. *dōm*, ahd. *tuom*. Auch nichthaupttonig: gr. G. Pl. F. *τάων* (aus *τάσων*), got. (nur in der Endung genau entsprechend) *þizō* „dieser“.

9) *a* bleibt haupttonig *a*: gr. *ἀγρός*, lat. *ager*, got. *akrs* „Acker“, aisl. *akr*, as. *akkar*, ahd. *ackar*, ags. *æcer* (ags. *a* zu *æ* vor *e* der Folgesilbe); gr. *ἄγος* „Schuld“, dazu ags. *acan* „schmerzen“. Für nichthaupttoniges *a* fehlen Beispiele.

10) *ā* wird haupttonig *ō* (ahd. später *oa*, *ua*, *uo*): gr. *φράτωρ*, lat. *fráter*, got. *brōþar* „Bruder“, aisl. *bróđer*, ags. *brōđor*, as. *brōther*, ahd. *bruoder*. Auch nichthaupttonig: so im Gen. Sg. der *ā*-Deklination wie in gr. *θε-ᾶς*, lat. *pater famili-ās*, got. *gib-ōs* „der Gabe“.

11) ə wird haupttonig a wie in den übrigen idg. Sprachen mit Ausnahme des Arischen, wo es sich zu i entwickelt hat: ai. *pitā́* „Vater", gr. πατήρ, lat. *pater*, got. *fadar*, aisl. *faðer*, ags. *fæder*, as. *fader*, ahd. *fater*. Nichthaupttonig geht ə in u über; u wechselt hier mit i z. B. in ahd. *kranuh* „Kranich" neben *kranih* wie idg. e, woraus urg. unbetont i, mit ə.

B. Diphthonge.

Idg. konnten e, ē, o, ō, a, ā, ə als Silbengipfel mit folgendem i oder u Diphthonge bilden. Ist der erste Bestandteil kurz, so hat man Normaldiphthonge, ist er lang, so Langdiphthonge.

a. Normaldiphthonge.

Die Normaldiphthonge verändern sich mit Ausnahme des ei nicht anders als ihre einzelnen Bestandteile, erleiden dann allerdings in den germ. Dialekten verschiedene Veränderungen. Fortbleiben können hier əi und əu, die überall mit ai und au zusammenfallen.

1) ei wird ī: gr. στείχειν „einherschreiten", got. *steigan* „steigen", aisl. *stíga*, ags. *stígan*, as., ahd. *stīgan*.

2) eu wird eo (ags. éo geschrieben), dies. got. *iu*, aisl. *ió* (*jó*), as., ahd. später *io*: gr. γεύσομοι, got. *kiusan* „wählen", aisl. *kiósa*, ags. *céosan*, as., ahd. *keosan, kiosan*.

3) oi wird ai, bleibt got. *ai*, wird aisi. *ei*, ags. á, as. ē, ahd. *ei*: gr. οἴνη „Eins im Würfelspiel', alat. *oinos* „eins", got. *ains*, aisi. *einn*, ags. *án*, as. *ēn*, ahd. *ein*.

4) ou wird au, bleibt got. und aisl. au, wird ags. éa, as. ō, ahd. ou. So ist nach lit. *raũdas* „rot", lat. *rūfus*, umbr. Akk. Pl. *rofu* idg. *roudho-s* anzusetzen: hierfür got. *rauþs*, aisl. *rauðr*, ags. *réad*, as. *rōd*. Auch vergleicht sich ein Perf. wie gr. εἰλήλουϑα (ου in älterer Zeit ou gesprochen) neben ἐλεύσομαι einem germ. Perf. wie aisl.

flaug „flog“, ags. *fléag*, as. *flōg*, ahd. *floug* neben Präsens mit idg. *eu* wie ags. *fléoge*, ahd. *fliugu*. ·

5) *ai* bleibt *ai* und verändert sich wie *ai* aus *oi:* gr. *αἴϑω* „funkle“, lat. *aedēs*, ags. *ád* „Scheiterhaufen“, ahd. *eit*. Lat. *aes*, got. *aiz*, aisl. *eir*, ags. *ár*.

6) *au* bleibt *au*, verändert sich weiter wie *au* aus *ou:* gr. *αὔξω*, lat. *augeo*, got. *aukan* „mehren“, aisl. *auka* „mehren“, ags. *éacen* „groß“, (eig. „vermehrt“), as. *giōcan* „geschwängert“, ahd. *ouhhōn* „mehren“.

Wo urg. *ai* in nichthaupttoniger Silbe stand, blieb es got., wurde aber nord.-wg. *ē*, aisl., ags. und as. weiter zu *e*: gr. *φέροις*, got. *bairais* „du mögest tragen“, ahd. *berēs*, aisl. *berer*, ags. *bere*, as. *beres*.

Ebenso bleibt nichthaupttoniges urg. *au* im Got., wird aber nord.-wg. *ō*, dies aisl. und ags. weiter *a*: lit. *sūnaũs* „des Sohnes“, got. *sunaus*, ahd. *sunō*, aisl. *sunar*, ags. *suna*.

b. Langdiphthonge.

Die idg. Langdiphthonge werden germ. in ihrem ersten Bestandteil gekürzt. Die so entstehenden Normaldiphthonge verändern sich wie die alten Normaldiphthonge.

1) *ōi* wird *ai*: alat. *ploirumē* „am meisten“ (mit· *oi̯* aus *ōi̯*, das als *āi̯* in ai. *prāyas* „mehr“ erscheint), aisl. *fleire* „mehr“.

2) *ōu* wird *au*: ai. Nom. Du. M. *dváu* „zwei“ aus **du̯ōu* (woraus auch lat. *duō*) == aisl. Nom. Du. N. *tvau*.

3) *āu* wird *au*: kret. *ἀF έλιος* „Sonne“ (aus **sāu̯elios*), got. *sauil*.

Für die übrigen Langdiphthonge fehlen sichere Beispiele in haupttoniger Stellung. Nur für *ēi* scheinen solche vorhanden zu sein, das sich indes wahrscheinlich in anderer Weise entwickelt hat. Man führt nämlich

auf *ēi* das geschlossene (helle) *ē* (*ē²* genannt) des Germ.
zurück, das sich überall erhalten hat und nur ahd. später
ea, dann *ia*, zuletzt *ie* geworden ist. Das *ē²* erscheint
nur in wenigen Wörtern, und zwar meist in solchen, die
in verwandten Formen ein *i* oder *ī* haben, womit idg. *ēi*
wechseln konnte. So liegt neben got., as. *hēr*, aisl., ags.
hér, ahd. *hear* „hier" got. *hidrē* „hierher", as. *hīr* „hier".
Da auch lat. *ē* geschlossen war, so steht germ. *ē²* auch
in Lehnwörtern aus dem Lat. mit *ē*: volkslat. *mēsa* „Tisch",
got. *mēs*, ahd. *meas*.

C. Silbische Liquiden und Nasale.

Auch für das Idg. hat man die Existenz silbischer
Liquiden und Nasale erschlossen, wenn auch von diesen
nur in einer Sprache, dem Ai., ein Überrest, nämlich *r̥*
als Vertretung von idg. *r̥* und *l̥* erhalten ist: gr. steht für
r̥ *αρ* oder *ρα*, für *l̥* *αλ* oder *λα*, lat. für *r̥* *or*, für *l̥* *ol*; für
m̥ und *n̥* steht ai. *a* oder *am, an*, gr. *α* oder *αμ, αν*, lat.
em, en.

Germ. sind idg. *r̥*, *l̥*, *m̥*, *n̥* durch *or, ol, om, on* vertreten: ai. *mr̥tám* „Tod", aisl., ags. *morđ* „Mord", as.
morth, ahd. *mord*. — ai. *vŕkas* „Wolf", ahd. *wolf*. — ai.
gam-yā̊t „er möge kommen", krimgot. *kommen* „kommen",
aisl. *koma*. — ai. *ganā̆-* „Weib", böot. *βανᾱ̆*, aisl. *kona*.

Das *o* dieser Lautgruppen ist mit germ. *o* aus idg. *u*
zusammengefallen und wird daher wie dies nichthaupt-
tonig. *u*: ai. *saptá* „sieben", gr. *ἑπτά*, lat. *septem*, got., ahd.
sibun, as. *sibun*.

2. Kombinatorische Lautentwickelung.

A. Einflüsse silbischer und unsilbischer Vokale.

a) Vokalverengungen.

Nord.-wg. ist germ. haupttoniges *e* zu *i* und germ.
haupttoniges *o* (aus idg. *u* oder in *or, ol, om, on* aus idg. *r̥*,

ḷ, *m̥*, *n̥*) zu *u* verengt worden, wenn in der folgenden unbetonten Silbe ein enger Vokal, d. h. ein *i*, *ī* oder *u* stand
(für *ū* fehlen Beispiele): gr. ἐστί, got., as., ahd. *ist*, ags., as. *is*.
— Lat · *velīs*, got. *wileis* „willst", aisl. *vill*, ags. *wile*, as., ahd.
wili. — gr. ἔϑος (aus *ἔϑος aus *σέϑος), dazu got. *sidus* „Sitte",
aisl. *sidr*, ags., as. *sidu*, ahd. *situ*. — ai. *bhr̥tí-š* „das Tragen",
aisl. *burþr* „Geburt", ags. ȝ*ebyrd* (aus *ȝeburdi-), ahd. *giburt*.
— ai. *bubhud-yāma* (analogisch für *-īma) „wir würden merken",
got. *budeima* „wir böten", aisl. *bydem* (aus *budīm), ags.
buden, as. *budin*, ahd. *butīm*. — ai. *bubudh-i-má* „wir
merkten", got. *bud-um* (aus *-om aus *-m̥ aus *-me) „wir
boten", aisl. *budom*, ags. *budon*, as. *budun*, ahd. *butum*.

So erklären sich Unterschiede in der Flexion wie zwischen altags. *birid* „trägt", as. *birid*, ahd. *birit* und ags., as.
berad „sie tragen", ahd. *berant* oder zwischen as. *budun*,
ahd. *butum* und as. *gibodan* „geboten", ahd. *gibotan* (ai.
bubudhānás „gemerkt"), sowie solche in der Wortbildung wie
zwischen ahd. *irdīn* „irden", *irdisc* „irdisch" und *erda* „Erde"
(gr. ἔραζε „auf die Erde") oder *wullīn* „wollen" und *wolla*
„Wolle", *guldīn* „golden" und *gold* (idg. *ǵhltom) „Gold".

Dem einfachen *e* und *o* entsprechend ist auch der Diphthong *eo* nord.-wg. zu *iu* verengt worden, wenn ihm ein
i folgte (für *ī*, *u*, *ū* fehlen Beispiele); durch abermalige Einwirkung des *i* ist jedoch dies *iu* aisl. zu *ý*, ags. zu *ie* umgelautet worden. Daher got. *biudis* „bietest", aisl. *býdr*, ags.
bietst, as. *biudis*, ahd. *biutis* neben got. *biudan* „bieten", aisl.
bióda, ags. *béodan*, as. *beodan*, ahd. *beotan*.

Das *i* zeigt auch unsilbisch (als *i̯*, j) denselben Einfluß
wie silbisch: lat. *medius*, got. *midjis* „mittlerer", aisl. *midr*,
ags. *midd*, as. *middi*, ahd. *mitti*. — lit. *pìlnas* (idg. *pl̥nó-s)
„voll", got. *fulls*, ahd. *fol*, aber got. *fulljan* „füllen", ahd.
fullen. — got. *liuhaþ* „Licht" (zu gr. λευκός), ags. *léoht*, as.,
ahd. *lioht*, aber got. *liuhtjan* „leuchten", ags. *liehten*, as.
liuhtian, ahd. *liuhten*; mit anderer Ableitung aisl. *liós* „Licht",
aber *lýsa* „leuchten".

b) Vokalerweiterung (*a*-Umlaut).

Unter unbekannten Bedingungen ist nord.-wg. haupttoniges *i* vor folgendem germ. *a* zu *e* geworden: lat. *vir*,
tochar. *wir* (idg. *u̯ir-o-s) „Mann", aisl. *verr*, ags., as., ahd. *wer*.

c) *i*-Umlaut.

Später als Vokalverengung und -erweiterung eintraten, wurden *a* (ags. *æ*), *ā* und die dunkelen Vokale in allen germ. Dialekten außer dem Got. und Krimgot. folgendem *ı*, *į* und *ī* in ihrer ganzen Artikulationsart genähert (palatalisiert). Wahrscheinlich haben zur Zeit, als die einzelnen Dialekte außer Got. und Krimgot. (etwa 200—450 n. Chr.) noch in Zusammenhang standen, die vor *i*, *į* und *ī* stehenden Konsonanten eine *i*-Affektion erhalten und dann in einzeldialektischer Zeit die vor ihnen stehenden Vokale beeeinflußt.

So wird aisl. *a* zu *e* (*ketell* „Kessel", got. *katils*), *ā* (aus urg. *ē*) zu *ǽ* (*lǽtr* „läßt", got. *lētıs*), *ó* zu *ǿ* (*ō̒*) (*søkia* „suchen", got. *sōkjan*), *u* zu *y* (*ü*) (*fylla* „füllen", got. *fulljan*), *ú* zu *ý* (*ū̒*) (*hýsi* „ich beherberge" zu *hús* „Haus"). Auch Diphthonge werden so palatalisiert, z. B. *au* zu *øy*, weiter *ey* (*løypr, hleypr* „du läufst", got. *hlaupıs*, aber *hlaupa* „laufen", got. *hlaupan*).

Ags. wird *æ* zu *e* (*settan* „setzen", got. *satjan*, aber *sæt* „saß", got. *sat*), *ǻ* (aus urg. *ai* oder *ē*) zu *ǽ* (*hǽlan* „heilen", got. *hailjan*, aber *hǻl* „Heil", got. *hails*, *lǽce* „Arzt", got. *lēkeis*), *ó* zu *é* (*sécan* „suchen", got. *sōkjan*), *u* zu *y* (*ü*) (*wyllen* „wollen" = ahd. *wullīn*, aber ags. *wull* „Wolle" = ahd. *wolla*), *ú* zu *ý* (*ū̒*) (*ontýnan* „öffnen" aus *on-tūn-jan* zu *tún* „Zaun"), *éa* (aus *au*) zu *íe* (*híehst* „höchster", got. *hauhists*, aber *héah* „hoch", got. *hauhs*), *éo* zu *íe* (*líehtan* „leuchten", got. *liuhtjan*, aber *léoht* „Licht", got. *liuhaþ*).

As. und ahd. erlag dem *ı*-Umlaut zunächst nur *a*, das *e* wurde. Obwohl dies *e* mit altem *e* in der Schrift zusammenfiel, muß es doch, da es noch heute in hochdeutschen Mundarten heller als letzteres gesprochen wird, bereits ahd. helleren Klang gehabt haben, wie es denn auch mhd. mit altem *e* nicht reimt: wir bezeichnen es durch *ė* (z B. in ahd. *sėzzen* „setzen" neben as. *settian*, got. *satjan*). Dieser Umlaut vollzog sich erst im 8. Jahrhundert. Ein Umlaut des *ū*, geschrieben *iu*, gesprochen *ǖ*, ist ahd. erst im 10. Jahrhundert zu erkennen (z. B. im *hiute* „Häute" aus *hūti*), alle übrigen *i*-Umlaute erst mnd. und mhd. Schon aus dieser Langsamkeit wird es wahrscheinlich, daß die den Umlaut veranlassende Palatalisierung der Zwischenkonsonanten erst vom Anglofriesischen in das Deutsche gedrungen ist. Noch mehr weist hierauf hin, daß ein *i*, welches wg. nach langer haupttoniger Silbe geschwunden ist, ags., aber nicht mehr deutsch zuvor noch Umlaut gewirkt

hat, wie denn z. B. dem ags. *brýd* „Braut“ aus **brūdiz* (in
das Latein entlehnt als *brūtis*) as. *brūd*, mnd. *brūt*, · ahd.,
mhd. *brūt* gegenübersteht. Endlich spricht für das Vordringen
der Palatalisierung von der Nordseeküste aus auch die Ab-
nahme der Kraft der Umlautung nach Süden überhaupt:
während allgemein deutsch nur *h* + Kons. vor *i, ī, i̭* den Umlaut des *a* zu *e* (z. B. in as., amd. und aobd. *mahtīg* „mächtig“)
gehindert hat, sich also selbst der Palatalisierung entzogen
hatte, ist dies aobd. auch bei *l* + Kons. (z. B. in *haltis* „du
hältst“ neben amd. *heltis, heldis*, as. *heldis*) und meist auch
bei *r* + Kons. der Fall.

d) *u*-Umlaut.

1) Aisl. wurden *a, ā* und die hellen (palatalen) Vokale
haupttoniger Silben dem *u* oder *u̯* einer folgenden unbetonten Silbe in ihrer ganzen Artikulationsart genähert (labialisiert).
a wurde zu *ǫ, á* zu *ǫ́*; *ǫ* und *ǫ́* sind offene, dem *a* und *á*
näher als das *o* und *ó* stehende *o*-Laute: anorw. *kallum* „wir
rufen“, aisl. *kǫllom*. — got. *saggws* „Gesang“, aisl. *sǫngr*
(Pl. *sǫnguar*). — ahd. *āzzum* „wir aßen“, anorw. *átom*, aisl.
ǫtom. — Ferner wurde *e* hier zu *ø* (geschlossenes *ó*), *i* zu *y*
(*ü*) usw.: gr. ἔϱεβος, got. *riqiz* „Finsternis“, aisl. *røkkr*, vgl.
røkkua „finster werden“. — got. *siggwan* „singen“, aisl.
syngua.

2) Ags. (besonders anglisch) glichen sich unter gewissen
Bedingungen (je nach der konsonantischen Umgebung) die
Palatalvokale *e* und *i* haupttoniger Silben dem *u* einer fol-
genden unbetonten Silbe in ihrer zweiten Hälfte an, d. h.
sie wurden zu den Kurzdiphthongen *eo* und *io*: got. *hairu* (**heru*)
„Schwert“, ags. *heoru*; got. *silubr* „Silber“, ags. *siolufr*. —
Aus *a* wurde in solchem Falle über **ao* ein *ea* (vgl. den
germ. Normaldiphthong *au*, der über **áo* zu *éa* wurde): *ealu*
„Bier“ neben Gen. *aloð* (aisl. *ǫl* „Bier“ aus **alu̯a*-).

B. Einflüsse von Konsonanten.

1) Die Vokalverengung tritt nord.-wg. auch vor Nas. und
Kons. ein: lat. *ventus*, tochar. *wändh* „Wind“, got. *winds*, aisl.
vindr, ags., as. *wind*, ahd. *wint*. — lat. *centum*, gr. ἑκατόν (idg.
*ḱm̥tóm), got. *tva hunda* „200“, ags. *tú hund*, ahd. *zwei hunt*,
as. *hunt* „100“, aisl. *hundrað* „120“.

2) Nord.-wg. wurde *eo* vor Labialen und Gutturalen, denen *u* näher als *o* steht, wieder zu *eu*: got. *liufs* „lieb“, auf deutscher Runeninschrift *leub*, urn. *leubaʀ*. — got. *liugan* „lügen“, urn. *leuʒaʀ* „lügenhaft“. Dies *eu* ging jedoch überall mit Ausnahme des Nordischen und des Oberdeutschen in *eo* zurück; aisl. wurde es zu *iú* (*jú*), parallel dem Wandel des *eo* zu *ió* (*jó*), aobd. zu *iu*, das jedoch von dem aus *eo* verengten *iu* noch verschieden war: aisl. *liúfr* „lieb“, ags. *léof*, as. *liof*, amd. *leob*, *liob* aobd. *liup*. — Aisl. *liúga* „lügen“, ags. *léoʒan*, as., amd. *liogan*, aobd. *liugan*. — Im größten Teile des Aobd. wurde dies *iu* später wieder *eo* und fiel nur im kleineren (südlichen) Teil desselben mit dem durch Verengung des *eo* entstandenen *iu* zusammen.

3) Got. wird *i* vor *r* und *h* zu *e* (geschr. *ai*, von uns *aí*), *u* zu *o* (geschr. *au*, von uns *aú*), wobei es nichts ausmacht, ob *i* alt oder erst aus *e* entstanden ist: aisl. *verpa* „werfen“, ahd. *werfan*, got. *waírpan*. — As., ahd. *reht* „recht“, got. *raíhts*. — Ags. *burh* „Burg“, as., ahd. *burg*, got. *baúrgs*. — Ags. *dohtor* „Tochter“, got. *daúhtar*.

4) Ags. wird vor gewissen Konsonanten *e* zum Kurzdiphthong *eo*, *a* zum Kurzdiphthong *ea* (über *ao* wie beim *u*-Umlaut) gebrochen; es geschieht das immer vor *r* + Kons.: ahd. *werfan*, ags. *weorpan*. — got. *arms* „Arm“, ags. *earm*.

5) Ahd. wird *ai* vor germ. *h*, *r*, *w* zu *ē*: got. *aihts* „Besitz“, ahd. *ēht*. — got. *air* „eher“, ahd. *ēr*. — got. *aiws* „Ewigkeit“, ahd. *ēwa*.

6) Ahd. wird *au* vor germ. *h* und allen Dentalen (*d*, *þ*, *t*, *z*, *s*, *n*, *r*, *l*) zu *ō*: got. *hauhs* „hoch“, ahd. *hōh*. — got. *dauþus* „Tod“, ahd. *tōd*. — got. *audags* „glücklich“, ahd. *ōtag* „reich“. — got. *stautan* „stoßen“, ahd. *stōzan*. — got. *laus* „leer“, aisl. *lauss* „lose, frei“, ahd. *lōs* „frei“. — got. *laun* „Lohn“, ahd. *lōn*. — got. *hausjan* „hören“, ahd. *hōren*. — aisl. *haull* „Bruch am Leib“, ahd. *hōla*.

3. Ablaut.

Noch auf Lautwandlungen der idg. Ursprache gehen gewisse „Ablaut“ genannte, die Konjugation und Wortbildung des Germ. durchziehende Vokalwechsel zurück, die auch noch in den lebenden germ. Sprachen, z. B. in nhd. *ich binde, ich band, gebunden, die binde, das band, das bund,* vorhanden sind. Doch bestanden die zugrunde liegenden Lautwandlungen nicht bloß aus Umfärbungen von Vokalen (qualitativer Ablaut), sondern auch aus Kürzungen und Dehnungen derselben (quantitativer Ablaut). Idg. gekürzte Silben bezeichnet man als Schwundstufe, gedehnte als Dehnstufe, quantitativ unveränderte als Vollstufe.

A. *Qualitativer Ablaut.*

Der qualitative Ablaut des Idg. betraf hauptsächlich das *e*, weiches zu *o*, und das *ē*, welches zu *ō* werden konnte. So heißt es z. B. gr. λόγος „Rede" neben λέγω „spreche", ἀρωγός „Helfer" neben ἀρήγω „helfe". Die Bedingungen des Wandels sind nicht genügend bekannt. Nur so viel ist klar, daß die Neuerung in gewissen Formkategorien regelmäßig statthatte, so besonders in der Wurzelsilbe des Sing. Perf. Akt. im Gegensatze zum Präs. und Futurum. Daher steht z. B. neben gr. κλέπτω ein κέκλοφα, neben δέρκομαι ein δέδορκα, neben γενήσομαι ein γέγονα. Da idg. *e* germ. bleibt, *o* aber in *a* übergeht, so haben wir dort das Nebeneinander von *e* (got. *i*) im Präs. und *a* im Sg. Perf.: daher z. B. got. *stilan* „stehlen", aisl. *stela*, ags., as., ahd. *stelan*, got., aisl., as., ahd. *stal* „stahl", ags. *stæl*; analog entspricht dem gr. κλέπτειν etymologisch got. *hlifan* „stehlen", dem κέκλοφα got. *hlaf.*

Wo idg. *e* den ersten Teil eines Diphthongen bildete, trat dafür gleichfalls als Ablaut *o* ein, während der zweite Teil des Diphthongen unverändert blieb: so gehört wie zu κλέπτω κέκλοφα zu λείπω λέλοιπα, zu ἐλεύσομαι εἰλήλουθα (*ου* war im älteren Griech. wirklicher Diphthong, *o* + *u*). Germ. besteht derselbe Wechsel zwischen

präsentischem *ī* aus idg. *ei* und singular-perfektischem *ai*
aus idg. *oi* z. B. in got. *greipan* „greifen", *graip* „griff",
sowie entsprechend zwischen *eo* (got. *iu*) aus idg. *eu* und
au aus idg. *ou* z. B. in got. *biudan* „bieten", *bauþ* „bot".

Dem Wechsel von *e* und *o* geht der von *ē* und *ō*
parallel: gr. *ῥήγνῡμι. ἔῤῥωγα*, got. *lēta* „lasse", *laí-lōt*
„ließ".

Wie gr. *o* mit *ε*, *ω* mit *η* so wechselt auch germ. *a*
mit *e*, *ō* mit *ē* (ags. *ǽ*) in der Wortbildung: got. *baíran*
„tragen, gebären", aisl. *bera*, ags., as., ahd. *beran* neben
got., aisl., as., ahd. *barn* „Kind", ags. *bearn*. — ags. *blǽd*
„Blüte", neben *blóstm* „Blüte", got. *blōma* „Blume",
aisl. *blóme*, as. *blōmo*, ahd. *bluomo*.

Ein durchgehender Wechsel dieser Art ist die Bildung
der Kausativa auf -*eịe*-, -*eịu*- mit *o*-Stufe zu Grundverben mit
e-Stufe: gr. *φοβέω* zu *φέβομαι* „fliehe". — lat. *moneō* (*moneịō)
zu *memini*. — got. *nasjan* „retten", ags. *nerịan*, as. *nerịan*
(Umlauts-*e*), ahd. *nerien* zu got. *ganisan* „gerettet werden",
ags. *ʒenesan*, as., ahd. *ginesan*. — aisl. *grøta* (aus *grōtjan)
„zum Weinen bringen" zu *gráta* „weinen", got. *grētan*.

B. Quantitativer Ablaut.

a. Kürzungen.

Kürzungen sowie gänzliche Tilgungen von Vokalen
traten ein in unbetonten Silben. Am häufigsten läßt
sich die Vokalreduktion in solchen Silben beobachten,
denen unmittelbar eine haupttonige Silbe folgte.

Völlig ausgestoßen wurden meist die kurzen Vokale
e, o, a. So steht gr. neben Präs. *πέτ-εσθαι* „fliegen"
Aor. *πτ-έσθαι*, ai. neben *pa-pát-a* (*ā* aus idg. *o*) „ist
geflogen" *pa-pt-imá* „wir sind geflogen", neben gr.
πατέρ-α = ahd. *fater-* gr. *πατρ-ός* = got. *fadr-s*, neben
gr. *ἄγ-ειν* „führen", aisl. *ak-a* „fahren" ai. *j-mán* „Bahn".

Stand in der zu kürzenden Silbe ein $i̯$ oder $u̯$ vor oder hinter einem kurzen Vokal, so übernahm bei dessen Fortfall das i oder u die silbische Funktion, d. h. aus $ei̯$, $oi̯$, $ai̯$, $i̯e$, $i̯o$, $i̯a$ wurde i, aus eu, ou, au, $u̯e$, $u̯o$, $u̯a$ wurde u. So steht gr. im Präs. $λείπ\text{-}εσθαι$ wie $πέτ\text{-}εσθαι$, im Aor. $λιπ\text{-}έσθαι$ wie $πτ\text{-}έσθαι$, im Präs. $φεύγ\text{-}ειν$ wie $λείπ\text{-}ειν$, im Aor. $φυγ\text{-}εῖν$ wie $λιπ\text{-}εῖν$. Und wie zu dem ai. Sg. Perf. $pa\text{-}pā́t\text{-}a$ der Pl. $pa\text{-}pt\text{-}imá$ lautet, so zu $di\text{-}dḗš\text{-}a$ (idg. $oi̯$ wird ai. $ē$) „hat aufgewiesen“ $di\text{-}diš\text{-}imá$, zu $bu\text{-}bṓdh\text{-}a$ (idg. ou wird ai. $ō$) „hat gemerkt“ $bu\text{-}budh\text{-}imá$. Dem Unterschiede von $didḗša$, $didišimá$ entspricht der von got. $graip$ „griff“, $gripum$ „griffen“, dem von $bubṓdha$, $bubudhimá$ der von got. $bauþ$ „bot“, $budum$ „boten“. Idg. ai ist unbetont zu i geworden in gr. $ἰθαρός$ „heiter“ neben $αἴθειν$ „funkeln“, idg. au unbetont zu u in ai. $ugrás$ „stark“ neben lat. $augēre$, gr. $αὔξειν$, got. $aukan$.

Wenn in der zu kürzenden Silbe r, l, m oder n vor oder hinter kurzem Vokal stand, so wurde die Liq. oder Nas. selbst silbisch (für die Beispiele vgl. S. 37): dem Verhältnis des Präs. $λείπ\text{-}ειν$, $λείπ\text{-}εσθαι$ zum Aor. $λιπ\text{-}εῖν$, $λιπ\text{-}έσθαι$ entspricht daher das der Präs. $δέρκ\text{-}εσθαι$, $τρέπ\text{-}εσθαι$, $τέμ\text{-}νειν$ zu den Aor. $δρακ\text{-}εῖν$, $τραπ\text{-}έσθαι$, $ταμ\text{-}εῖν$, dem von ai. $bubhṓd\text{-}a$ zu $bubudh\text{-}imá$ das von ai. $cakā́r\text{-}a$ „hat gemacht“ zu $cakr̥\text{-}má$ sowie das von ahd. $warf$ „warf“ zu $wurf\text{-}um$ „wir warfen“, got. $halp$ „half“ zu $hulp\text{-}um$, gr. $γέγον\text{-}a$ zu $γέγα\text{-}μεν$ (mit verändertem Verbalakzent), gr. $μέμον\text{-}a$ „gedenke“, eigentlich „habe mich erinnert“ = got. man zu $μέμαμεν$ = got. $mun\text{-}um$, got. $tramp$ „trat“ zu $trump\text{-}um$.

Die langen Vokale $ē$, $ō$, $ā$ wurden unbetont gewöhnlich zu $ə$ gekürzt, seltener ganz ausgestoßen. So steht neben dor. $í\text{-}στā\text{-}μι$ „stehe“, att. $στή\text{-}λη$ aus $*στά\text{-}λā$,

lat. *stā-re* das Part. Perf. Pass. ai. *sthi-tás*, gr. στᾰ-τός,
lat. *stă-tus*, neben gr. δίδω-μι, δῶ-ϱον, lat. *dō-num* das
Part. lat. *dă-tus*, gr. δά-νος „die Gabe“. Ebenso gehört zu
gr. ληδεῖν „träg sein“, got. *lētan* „lassen“ got. *lat-s* „träge“,
aisl. *lat-r*, ags. *læt*, mnd. *lat*, ahd. *laz* aus idg. *ləd-ós,
lat. *lassus* aus idg. *ləd-tós: die Adjektiva auf -o-s hatten
idg. meist Endbetonung.

Stand in der zu kürzenden Silbe ein langer Vokal
vor oder hinter *i̯* oder *u̯*, so wurde das von ersterem
gebliebene *ə* mit dem folgenden oder vorhergehenden
silbisch gewordenen *i* oder *u* zu *ī* oder *ū* kontrahiert.
So steht neben ai. *jyā́-jaṃs* „überlegen“ *jī-tá* „über-
wältigt“, neben alat. *s-iēs* „du seiest“, gr. εἴης aus
*ἐσ-ίη-ς der Pl. *s-ī-mus*, εἶμεν aus *ἐσ-ί-μεν (der Hauptton lag idg. auch hier im Pl. auf der Personalendung).

b. Dehnungen.

Die kurzen Vokale *e*, *a*, *o* wurden idg. oft auch gedehnt; die Ursachen sind größtenteils nicht festgestellt.
— abg. *žena* „Frau“, as., ahd. *quena*, got. *qinō*, daneben
got. *qēns* „Frau“, aisl. *kvǽn*, ags. *cwén*, ai. *jā́niš* (idg. *ē*
wird ai. *ā*).

Klar ist nur, daß die Dehnung die Zugehörigkeit aus-
drücken konnte: ai. *švašuras* „Schwiegervater“, gr. ἑκυϱός,
got. *swaihra*, ahd. *swehur*; dazu ai. *švāšuras* „zum Schwiegervater gehörig“ ahd. *swāgur* „Schwager“, mnd. *swāger*. — lat.
canō, dazu got. *hana* „Hahn“ (eig. „Sänger“), aisl. *hane*, as.,
ahd. *hano*, dazu aisl. *hǽns* „Hühner“, as. *hōn* „Huhn“, ahd.
huon „Hahn, Huhn“ aus idg. *kánom eig. „zum Hahn Ge-
höriges“.

Da *e* auch zu *o* und *o* wieder *ō* werden kann, so
können in demselben Wort *e*, *ē*, *o*, *ō* miteinander
wechseln. So stehen nebeneinander lat. *pedem*, *pēs*,
gr. πόδα, dor. πώς, got. *fōtus* „Fuß“, ais. *fótr*, ags. *fót*,
as. *fōt*, ahd. *fuoz*; daneben noch aisl. *fet* „Fußstapfe“.

III. Konsonantismus.

1. Indogermanisches Konsonantensystem.

Artikulations-stelle	Verschlußlaute				Reibelaute (Spiranten)		Halb-vokale	Nasale	Li-quidä
	Stimmlose (Tenues)		Stimmhafte (Mediä)		Stimm-lose	Stimm-hafte			
	Ein-fach	Aspi-riert	Ein-fach	Aspi-riert					
Labiale	p	ph	b	bh			u̯	m	
Dentale	t	th	d	dh	s	z		n	r, l
Palatale	k̑	k̑h	g̑	g̑h			i̯	n̑	
Velare	k	kh	g	gh				ŋ	
Labiovelare	kᵛ	kᵛh	gᵛ	gᵛh					

Über Palatale, Velare und Labiovelare vgl. S. 13 f.

Von den Nasalen konnten nur *n* und *m* in jeder Stellung auftreten, während *n̑* nur vor palatalen, *ŋ* nur vor velaren und labiovelaren Verschlußlauten vorkam; letzteres entsprach unserem *n* vor *k* wie in *bank*.

z war nur neben stimmhaften Konsonanten aus *s* entstanden.

2. Die im Germanischen unveränderten Konsonanten.

Erhalten sind germ. folgende idg. Laute:

1) Die Liqu. *r, l*: ai. *rudhirás* „rot", gr. ἐρυϑρός, lat. *ruber*, got. *rauþs*, aisl. *rauđr*, ags. *réad*, as. *rōd*, ahd. *rōt*. — gr. πῶλος „junges Pferd, junges Tier", lat. *pullus* „junges Tier, junges Huhn", got. *fula* „Fohlen", aisl. *fole*, ags. *fola*, mnd. *vole*, ahd. *fulo*.

2) Die Nas. *m, n, ŋ*: gr. μέσος, lat. *medius*, got. *midjis*, aisl. *miđr*, ags. *midd*, as. *middi*, ahd. *mitti*. — gr. νύξ, lat. *nox*, got. *nahts*, aisl. *nótt*, ags. *neaht*, as., ahd. *naht*. — lat. *longus*, got. *laggs*, aisl *langr*, ags. *long*, as., ahd. *lang* (nord. und wg. wird *ŋ* wie lat. durch *n*, got. wie gr. durch *g* ausgedrückt).

3) Die Halbvokale *i̯, u̯* (aisl. ist anl. *i̯* geschwunden): abktr. *yāre* „Jahr", abg. *jarŭ* „Frühling", got *jēr* „Jahr", aisl. *ár*, ags. ȝ*ear* (ȝ Zeichen für *i̯*), as., ahd. *jār*. — ai. *véda*

„ich weiß“, gr. *Ϝοῖδα*, got. *wait*, aisl. *veit*, ags. *wát*, as. *wēt*, ahd. *weiz*.

4) *s*: lat. *septem*, abg. *sedmĭ*, got. *sibun*, aisl. *siau*, ags. *siofon*, as. *sibun*, ahd. *sibun*.

3. Die Lautverschiebungen und der grammatische Wechsel.

Germ. haben sämtliche idg. Verschlußlaute Veränderungen ihrer Artikulationsart erlitten, die man nach dem Vorgange ihres Entdeckers J. Grimm als erste Lautverschiebung zusammenfaßt, mit deren einem Akt auch der von demselben Gelehrten so benannte „grammatische Wechsel“ zusammenhängt, dem auch idg. *s* unterliegt. Als zweite Lautverschiebung bezeichnete Grimm Veränderungen ähnlicher Art, wie sie die verschobenen Konsonanten wiederum um 600 n. Chr. im Deutschen (meist nur Hochdeutschen) erfahren haben. Die erste Lautverschiebung war laut Zeugnisses germanischer Wörter bei römischen Schriftstellern schon in vorchristlicher Zeit vollendet.

Die folgende Anordnung gibt die Akte der ersten Lautverschiebung in ihrer chronologischen Folge, berücksichtigt jedoch bei den später noch in altgermanischen Einzeldialekten veränderten Lauten gleich diese Wandlungen mit.

A. Erster Verschiebungsakt.

a. Regel.

Die idg. einfachen und aspirierten Tenues werden zu stimmlosen Spiranten verschoben.

α. Einfache Tenues.

1) Idg. *p* wird *f*: gr. *πέλλα* „Haut, Leder“, lat. *pellis* „Fell“, got. *þrúts-fill* „Aussatz“, aisl. *ber-fiall*

„Bärenfell", ags. *fell* „Fell", mnd. *vel,* ahd. *fel.* — ai. *napāt-* „Abkömmling", lat. *nepōs* „Enkel, Neffe, Nachkomme", aisl. *nefi* „Verwandter, Neffe", ags. *nefa,* ahd. *nefo.*

2) Idg. *t* wird *þ* (stimmloser interdentaler Spirant). Hierfür wird got. und aisl. *þ,* ags. *đ,* seltener *þ,* as. *th* oder *đ,* ahd. *th,* seltener *dh* geschrieben. Urn. wird *þ* nach Vokalen und *r* weiter zum stimmhaften interdentalen Spiranten *đ* (got. *brōþar* „Bruder", aisl. *bróđer* — got. *wairþan* „werden", aisl. *verđa*). Auch ags. wird *þ* zwischen stimmhaften Lauten selbst stimmhafter interdentaler Spirant geworden sein, wofür z. B. sein weiterer Übergang in die stimmhafte Media *d* vor und nach *l* spricht (altanglisch *naethl* „Nadel", sonst ags. *nædl;* got. *gulþ* „Gold", ags. *ʒold*). Deutsch geht *þ* überhaupt weiter in *d* über: dieser um 750 im Bayrischen beginnende Wandel pflanzt sich nur sehr langsam nach Norden fort, so daß er niederdeutsch erst im 14. Jahrhundert durchdringt; doch darf man *d* schon als ahd. Normalschreibung ansehen: ai. *tráyas* „drei", gr. *τρεῖς,* lat. *trēs,* got. *þreis,* aisl. *þrír,* ags. *þrí,* as. *thrie,* ahd. *drī.* — lat. *mentum* „Kinn", got. *munþs* „Mund", aisl. *muđr,* ags. *múđ,* as. *mūđ,* ahd. *mund.*

3) Idg. *k̑* wird über *k* germ. *h* (velarer Spirant, *ach*-Laut, der aber in den germ. Dialekten in den meisten Stellungen bald in den bloßen Hauchlaut übergeht): ai. *śvā́* „Hund", Gen. *śúnas,* gr. *κύων,* Gen. *κυνός,* got. *hunds,* aisl. *hundr,* ags., as. *hund,* ahd. *hunt.* — ai. *diśáti* „er weist", gr. *δείκνῡμι,* lat. *dīco,* got. *ga-teihan* „anzeigen", as. *tīhan* „zeihen", ahd. *zīhan.*

4) Idg. *k* wird *h* (wie *k̑*): lett. *kārs* „lüstern", lat. *cārus* „lieb", got. *hōrs* „Buhle", aisl. *hórr,* ags. *hóre* „Hure", ahd. *huora.* — ai. *rōka* „Licht", gr. *λευκός,*

lat. *lūcēre*, got. *liuhaþ* „Licht", ags. *léoht*, as., ahd. *lioht*.

5) Idg. *kᵛ* wird *hᵛ*, das got. durch das einheitliche Zeichen ⊙ ausgedrückt wird und noch velarer Spirant mit gleichzeitiger Lippenrundung gewesen zu sein scheint: lit. *kàs* „wer", gr. πό-ϑεν „woher", πό-σε „wohin", lat. *quo-d*, got. *ƕas* „wer".

β. Aspirierte Tenues.

1) Idg. *ph* wird *f*: ai. *phēnas* „Schaum", ags. *fám*, ahd. *feim*.

2) Idg. *th* wird *þ*: gr. ϑρέξομαι „werde laufen", got. *þragjan* „laufen", aisl. *þræll* „Sklave", ahd. *drigil*.

3) *kh* wird *h*: albanesisch *kam* (aus *khabhmi) „ich habe", lat. *habēre*, got. *haban* „haben", aisl. *hafa*, ags. *habban*, as. *hebbian*, ahd. *habēn*.

Für idg. *k̂h* und *kᵛh* fehlen sichere Beispiele.

b. Ausnahme.

Nach stimmlosen Spiranten gehen die Tenues selbst nicht in solche über, gleichviel ob der Spirant aus dem Idg. ererbt ist (*s*) oder selbst erst aus einem Verschlußlaut verschoben wird (*f* aus *p*, *h* aus *k*, beide vor *t*).

α. Einfache Tenues

1) Idg. *sp* bleibt: lat. *spernere* „hinwegstoßen", aisl. *sporna* „mit den Füßen stoßen", ags. *spornan*, ahd. *spornōn*.

2) Idg. *st* bleibt: lat. *hostis* „Feind", eigentl. „Fremdling", abg. *gostĭ* „Gast", got. *gasts* „Fremdling, Gast", aisl. *gestr*, ags. *ʒiest*, as., ahd. *gast*.

3) Idg. *sk̂* erscheint als *sk*: lit. *maiszýti* „mischen", lat. *miscēre*, ags. *miscian*, ahd. *miskan*.

4) Idg. *sk* bleibt: ai. *kaví̦* (schon idg. auch *k* für anl. *sk*) „sinnig, klug", gr. ϑυο-σκόος „Opferschauer", got. *us-skawjan* „zur Besinnung bringen", aisl. *skygna* „spähen", ags. *scéawian* „schauen", as. *skauwōn*, ahd. *scouwōn*.

5) Für idg. *skᵛ* fehlen sichere Beispiele.

6) Idg. *pt* wird *ft*; gr. κλέπτης, got. *hliftus*.

7) Idg. $\widehat{k}t$ wird *ht*: gr. ὀρεκτός, lat. *rectus* (idg. **rek̂tos* aus **reĝ-to-s,* wozu ai. *rjú-* „gerade, recht“), got. *raihts* „recht“, ags. *riht,* as., ahd. *reht.*

8) Idg. *kt* wird *ht*: ai. *náktiš* „Nacht“, lat. *nox*, Gen. *noctis,* got. *nahts,* ags. *neaht,* as., ahd. *naht.*

9) Für idg. $k^v t$ fehlen sichere Beispiele.

β. Aspirierte Tenues.

Die idg. aspirierten Tenues erscheinen germ. nach Spiranten als unaspirierte Tenues.

1) Idg. *sph* wird *sp*: ai. *sphyás* „Keil“, gr. σφήν, aisl. *spǫnn* „Span“, ags. *spón,* ahd. *spān.*

2) Idg. *sth* wird *st*: ai. *pṛṣṭhám* „Rücken, Gipfel“, ags., ahd. *first* „First“.

3) Idg. *skh* wird *sk:* lit. *skėdžiu* „trenne“, gr. σχίζω „spalte“, aisl. *skita* „Kot absondern“, ags. *scitan,* ahd. *scīzan.*

4) Idg. *pth* wird *ft*: von got. *hlifan* „stehlen“ (lat. *clepere,* gr. κλέπ-τειν) lautet die 2. Sig. Ind. Perf. *hlaft,* worin das *t* die idg. Endung *-tha* (ai. *-tha,* gr. *-θα*) repräsentiert.

5) Idg. *kth* wird *ht:* zu got. *slahan* „schlagen“ mit *h* aus *k* lautet die 2. Sg. Perf. *slōht.*

Im übrigen fehlt es an sicheren Beispielen.

B. Zweiter und dritter Verschiebungsakt.

Der zweite und dritte Verschiebungsakt stimmen darin überein, daß ihre Resultate stimmhafte Spiranten sind. Und zwar gehen letztere teils aus den idg. aspirierten Medien, teils aus den (größtenteils urg. selbst erst durch den ersten Verschiebungsakt entstandenen) stimmlosen Spiranten hervor. Welche von beiden Verschiebungen früher erfolgt ist, oder ob beide gleichzeitig erfolgt sind, läßt sich nicht ausmachen.

Die so entstandenen stimmhaften Spiranten *đ, đ, ʒ* erleiden teils schon urg., teils erst in den germ. Dialekten eine Reihe weiterer Veränderungen, die hier zum besseren Verständnis der für die Lautverschiebungsakte selbst zu gebenden Beispiele voranstehen

a. Spätere Veränderungen der stimmhaften Spiranten.

α. Urgermanisch.

Urg. wurden *ƀ, đ, ʒ* zu den stimmhaften Verschlußlauten (Mediä) *b, d, g* nach Nasalen, *ƀ* und *đ* zu *b* und *d* auch im Anlaut. Bei den Labialen und Dentalen sind diese Unterschiede auch aus den Schreibungen der meisten Dialekte zu erkennen:

1) Das Got. läßt die Laute *ƀ* und *b* allerdings in der Schrift als *b*, die Laute *đ* und *d* als *d* zusammenfallen, verwandelt aber im Auslaut und vor *s* das *ƀ* in *f* und das *đ* in *þ* nach Vokalen, nicht aber nach *m* oder *n*. So steht neben *graban* „graben" *gróf* „grub", neben *hlaibōs* „Brote" *hlaifs* „Brot", aber neben *lambis* „des Schafs" *lamb* „das Schaf", neben *dumba* „der stumme" *dumbs* „stumm" sowie neben *biudan* „bieten" *bauþ* „bot", neben *stadis* „des Ortes" *staþs* „der Ort", aber neben *hundis* „des Hundes" *hund* „den Hund", *hunds* „der Hund": in die stimmlosen Spiranten *f, þ* konnten eben nur stimmhafte Spiranten, nicht Verschlußlaute übergehen. Daß auch anl. got. *b* Verschlußlaut war, ergibt sich aus dem steten *b* dafür im Anlaut gotischer Namen bei römischen Schriftstellern z. B. in *Berig, Brandila, Butila,* während inl. nach Vokalen meist *v* wie in *Erilieva, Gevica* dafür steht; anl. *d* ist des Parallelismus wegen als Verschlußlaut zu fassen.

2) Das Aisl scheidet auch in der Schrift zwischen *b* im Anlaut und nach *m* und zwischen *f* (für die stimmhafte, aber nicht mehr bilabiale, sondern labiodentale Spirans) nach Vokalen, *r* oder *l* sowie zwischen *d* im Anlaut und nach *n* und zwischen *đ* nach Vokalen oder *r*: *bera* „tragen", *kambr* „Kamm", *grafa* „graben", *arfr* „Erbe", *sjálfr* „selbst"; *dagr* „Tag", *hundr* „Hund", *bjóđa* „bieten", *garđr* „Zaun".

3) Das Ags. scheidet beim Labial wie das Aisl.: *beran, comb* (Gen. *combes*), *grafan, yrfe, sylf* (Gen. *sylfes*).

4) Das As. schreibt für den labialen stimmhaften Verschlußlaut nur *b*, für den stimmhaften Spiranten *ƀ, u v* neben *b*. So stets *beran, umbi* „um", aber *heƀan* „Himmel", *ouer* „über", *gilōvian* „glauben" neben *gilōƀestu* „glaubst du", *hwerƀan, hweruan* „wandeln" neben *umbiherbi* „unnütz", *selƀo* „selbst", *oluundeon* „Kamel" neben *olbendeon*. Im Auslaut wird der stimmhafte Spirant zum stimmlosen *f*, der stimmhafte Verschlußlaut bleibt *b*: *gróf* „grub", *hwarf* „wandelte", *self* „selbst", aber *lamb* „Lamm".

5) Von den ahd. Mundarten scheidet das Mittelfränkische zwischen anl. Verschlußlaut und inl. Spirans nach Vokal: *beran*, aber *gevan* „geben"; daher *gaf* „gab".

Für urg. stimmhaften gutturalen Spiranten wird got., aisl., as. und amd. *g*, ags. meist ȝ, seltener *g* geschrieben, ohne daß irgendwo analoge Unterschiede wie bei den entsprechenden Labialen und Dentalen gemacht werden. Für *g*, ȝ nach *n* (z. B. in got. *laggs* „lang", aisl. *langr*, ags. *long*, as. ahd. *lang*) ist jedoch wegen der Aussprache in den lebenden Mundarten und des Parallelismus von *mb* und *nd* Verschlußlaut anzunehmen. Dagegen ist ȝ, *g* im Anlaut ags. und as. noch Spirans gewesen, da es dort in der stabreimenden Dichtung anlautendem *j* gleich gilt.

β. Einzeldialektisch.

1) Got. und nord. (daher vielleicht schon gotonordisch) wird anl. ȝ zu *g*. Für das Got. folgt das aus gotischen Namen bei Lateinern mit *c* (= *k*) neben *g* wie *Caina* neben *Gaina* und *Commundus* (für **Gummundus*), für das Nord. aus den lebenden Mundarten.

2) Got. wird auch nach Liq. *b* zu *b*, *đ* zu *d*, wie wiederum die Schreibung im Auslaut und vor *s* zeigt (vgl. S. 51): *swaírban* „wischen", *swarb* „wischte"; *halba* „Hälfte", *halbs* „halb"; *gardis* „des Hauses", *gards* „das Haus"; *haldan* „hüten", *gastaldan* „erwerben", *gastaístald* „erwarb".

3) Aisl. wird *đ* nach *l* zu *d*: *halda* „halten".

4) Wg. wird *d* in jeder Stellung zu *d*, später durch die zweite Lautverschiebung ahd. nur (oberdeutsch, ostfränkisch und thüringisch) weiter zu *t*: ags *dæg* „Tag", as., mittel- und rheinfränkisch *dag*, sonst ahd. *tag*; ags. *béodan* „bieten", as., mittel- und rheinfränkisch *biodan*, sonst ahd. *biotan*; ags. ȝeard „Umfriedigung, Garten", ahd. *gart* „Kreis".

5) Aobd. wird *b* überall zum Verschlußlaut, wie seine Schreibung als *b*, altbairisch sogar als *p* zeigt: *geban* „geben", *gab* „gab" (altbair. *gepan*, *gap*). Auch ost- und rheinfränkisch wird hier ahd. *b* geschrieben; es ist aber damit vielleicht doch nicht Verschlußlaut, sondern der noch heute in Mitteldeutschland geltende weiche Spirant gemeint.

6) Im größten Teile des Aobd. wird auch ȝ Verschlußlaut, da auch *k* z. B. in *kip* „gib" neben *gip* dafür geschrieben wird. Wie weit amd., wo nur *g* herrscht, Spirans oder Verschlußlaut anzunehmen ist, steht nicht fest.

7) Wo wg. *b* und *ʒ* gedehnt werden (was am häufigsten vor *i̯* geschieht), gehen sie in lange Verschlußlaute über (die in der Schrift durch Doppelung ausgedrückt werden). Das zeigt sich erstens in den Schreibungen *bb* im Ags. und As., *cʒ* im Ags. und zweitens in der Verschiebung des *bb* zu *pp* im Ahd. und des *gg* zu *kk* (*ck*) wenigstens im Aobd.: got. *sibja* „Sippe", ags. *sibb*, as. *sibbia*, ahd. *sippea*, *sippa*; got. *lagjan* „legen", ags. *lecʒan*, as. *leggian*, amd. *léggen*, aobd. *lecken*.

b. Die idg. aspirierten Mediä.

1) *bh*: ai. *bhárāmi* „trage", gr. φέρειν, lat. *ferre*, got. *baíran*, aisl. *bera*, ags., as., ahd. *beran*. — ai. *nábhas* „Wolke, Nebel", gr. νέφος, νεφέλη, lat. *nebula*, aisl. *niflheimr* „Nebelwelt", ags. *nifol* „dunkel", ags. *nebal* „Nebel", ahd. *nebul*.

2) *dh*: ai. *vásu-dhitiš* „Schatzspende, Schatzkammer", gr. θέσις „Stellung, Lage", got. *ga-dēds* „Tat", aisl. *dóđ*, ags. *dǽd*, as. *dād*, ahd. *tāt*. — ai. *rudhirás* „rot", gr. ἐρυθρός, got. Dat. Sg. F. *raudai*, aisl. *rauđr*, ags. *réad*, as. *rōd*, ahd. *rōt*.

3) *ĝh*; ai. *hasás* „Wildgans", lit. *ʒasìs* „Gans", gr. χήν, lat. *anser* (aus **hanser* aus **ghanser*) aisl. *gós*, ags. *ʒós*, ahd. *gans*. — ai. *váhāmi* „fahre", abg. *vexa̧*, lat. *vehō*, got. *ga-wigan* „bewegen", aisl. *vega*, ags. *weʒan* „tragen", as. *wegan* „wägen", ahd. „bewegen".

4) *gh*: abg. *gostĭ* „Gast", lat. *hostis* „Feind", eigentlich „Fremdling", got. *gasts* „Gast", aisl. *gestr*, ags. *ʒiest*, as., ahd. *gast*. — ai. *stighnṓmi* „springe auf", gr. στείχω „schreite", lett. *stiga* „Pfad", lat. *ve-stīgium* „Fußspur", got. *steigan* „steigen", aisl. *stiga*, ags. *stīʒan*, as., ahd. *stīgan*.

5) *gᵛh*: gr. ὀμφή (aus **songᵛhā́*) „Stimme", got. *siggwiþ* „er singt", aisl. *syngr* (aus **singwiʀ*).

c. Die urg. stimmlosen Spiranten.

Die stimmlosen Spiranten *f*, *þ*, *h*, *s*, werden im Inlaut und Auslaut zu den stimmhaften *ƀ*, *đ*, *ʒ*, *ʓ*, falls nicht nach der idg. Betonung der unmittelbar vorhergehende Vokal den Hauptton trägt (**Vernersches Gesetz**).

Das *ʓ* bleibt nur got. inl. erhalten; wg. geht es in *r*, nord. in *R* (palatales *r*) über, das urn. noch von altem (dentalem) *r* z. B. in *Hlewa-gastiR* (= got. *-gasts* „Gast" mit *s* für ausl. *ʓ*) und *swestar* (got. *swistar*) „Schwester" geschieden, aisl. jedoch mit diesem zusammengefallen ist (also *gestr* wie *syster*).

1) Idg. *p*: ai. *saptá* „sieben", gr. ἑπτά, got. *sibun*, ags. *siofon*, as. *siƀun*, ahd. *sibun*.

2) Idg. *t*: ai. *kētúṣ* „Schein, Bild, Gestalt", got. *haidus* „Art", ags. *hád*, ahd. *heit*.

3) Idg. *k̑*: ai. *śvaśrū́ṣ* „Schwiegermutter", gr. ἑκυρά, ags. *sweʒer*, ahd. *swigar*.

4) Idg. *k*: ai. *aṅkás* „Nacken", got. *hals-agga* „Genick".

5) Idg. *s*: ai. *rájas* „Finsternis", gr. ἔρεβος, got. Gen. *riqiʓ-is*, aisl. *røkkr*.

d. Der grammatische Wechsel.

Dadurch daß idg. ungemein häufig verwandte Formen verschiedene Betonung hatten, wechseln germ. in sehr vielen solcher stimmlose mit stimmhaften Spiranten. Diese Erscheinung, der grammatische Wechsel, tritt besonders in folgenden Fällen hervor:

1) Idg. trug in der verbreitetsten Verbalklasse die Wurzelsilbe im Präs. und im Sg. Ind. Perf. Akt., dagegen die Personalendung im Pl. Ind. Perf. Akt., ebenso das Suffix im Part. Prät. Med. den Hauptton. Vgl. ai.

bŏdhāmi „ich merke", *bubŏdha* „ich habe gemerkt", *bubudhimá* „wir haben gemerkt", *bubudhānás* „gemerkt". Entsprechend sind germ. wurzelauslautende stimmlose Spiranten im Präs. und Sg. Ind. Perf. erhalten, im Pl. Perf. und Part. Prät. dagegen zu stimmhaften geworden: nur das Got. hat die stimmlosen Laute überall wieder analogisch durchgeführt, während die übrigen Dialekte nur bei einem Teile der Formen das lautgesetzliche Verhältnis durch Analogiebildungen wieder gestört haben; aisl. ist bei den *t*-Lauten die Scheidung dadurch wieder aufgehoben worden, daß hier jedes inl. und ausl. þ zu ð geworden ist. In der folgenden Tabelle stehen die analogischen Formen eingeklammert.

Präs.		Sg. Perf.	Pl. Perf.	Part. Prät.
Got. leiþan	„gehen"	laiþ	(liþum)	(liþans)
Aisl. líða		leið	lidom	liðenn
Ags. liðan		láð	lidon	liden
As. līthan		lēth	lidun	gilidan
Ahd. līdan		leid	litum	gilitan.
Got. slahan	„schlagen"	slōh	(slōhum)	(slahans)
Aisl. slá	aus *slahan	sló aus *slōh	slógom	slegenn
Ags. sléanʃ		(slóȝ)	slóȝon	sleȝen
As. slahan		(slōg)	slōgun	gislagan
Ahd. slahan		sluoh	sluogum	gislagan
Got. kiusan	„wählen"	kaus	(kusum)	(kusans)
Aisl. kiósa		kaus	kørom	kørenu
Ags. céosan		céas	curon	coren
As. keosan		kōs	kurun	gikoran
Ahd. kiosan		kōs	kurum	gikoran
Got. hafjan	„heben"	hōf	(hōfum)	(hafans)
Ags. (hebban)		hóf	bófon	hafen
As. heffian (hebbian)		hōf	hōbun	of-haban
Ahd. heffen	·	(huob)	huobum	ir-haban

Got. haben die Perfekta mit Präsensbedeutung die allgemeine Ausgleichung derer mit Präteritalbedeutung

nicht mitgemacht: *þarf* „bedarf", Pl. *þaúrbum*; *aih* „habe",
Pl. *aigum* (woneben *aihum* als spätere Neubildung).

2) Idg. trugen auch die von wurzelbetonten Verben
gebildeten Kausativa den Ton auf dem ersten Suffixvokal:
ai. *svápāmi* „schlafe", *svāpáyāmi* „mache schlafen, schläfere
ein". Auch dies spiegelt sich germ. im Spirantenwechsel
wider: got. *leiþan* „gehen, ags. *lídan*, as. *līthan*, ahd.
līdan, aber ags. *lǽdan*, (aus *laidjan*) „gehen machen,
führen", as. *lēdian*, ahd. *leiten*. — got. *ganah* „es genügt",
ags. *ʒeneah*, ahd. *ginah*, aber aisl. *gnǿgja* „befriedigen", ahd.
ginuogen. — got. *ganisan* „genesen, gerettet werden",
ags. *ʒenesan*, as., ahd. *ginesan*, aber ags. *neriʒan* „retten",
as. *nerian*, ahd. *nérien*.

3) In anderen verbalen Ableitungen zeigen sich
nur noch zerstreute Reste des Wechsels, da hier Analogiebildungen weiter um sich gegriffen haben. Doch
steht so z. B. noch neben got. *faheþs* „Freude" *faginōn*
„sich freuen", gebildet mit idg. *-nǎ-* wie ai. *mr̥nắti* „er
zermalmt", und neben got. *wisan* „sein, leben" *wixōn*
„leben, schmausen", mit idg. *-ắ-* erweitert wie dor. *τλ-ᾶναι*
„dulden", daher Schwundstufe der Wurzel.

4) Auch in nominalen Ableitungen finden sich
solche Reste. So hatten die idg. Adjektiva im Positiv.
meist Suffixbetonung, im Komparativ Wurzelbetonung:
ai. *svādús̆* „süß", gr. *ἡδύς*, ai. *svádīyas-* „süßer", gr. N.
ἥδιον. Daher noch got. *juggs* „jung" (ai. *yuvás̆ás*), *jūhiza*
(aus *junhiza) „jünger"; auch ahd. *elthiron* „Eltern",
eigentlich „die älteren", hat den Unterschied von *alt*
„alt" bewahrt, während *altiro* „älter" an den Positiv
angeglichen ist.

5) Idg. bestand auch zwischen den einzelnen Kasus
Akzentwechsel, indem teils die Wurzelsilbe, teils das
stammbildende Suffix, teils die Kasusendung betont

wurde: gr. πά-τερ, πα-τήρ, πα-τέρ-α, πα-τρ-ός. Der hierdurch germ. erzeugte Lautwechsel ist fast überall wieder durch Anologiebildung aufgehoben worden, doch so, daß nicht selten in demselben Worte stimmlose und stimmhafte Laute zugleich durchgedrungen, also gleichbedeutende Formen für alle Kasus entstanden sind, die sich indes meist auf verschiedene Dialekte verteilt, bisweilen sich auch in der Bedeutung getrennt haben: ahd. *grāfio, grābio* „Graf“. — got. *dauþs*, Gen. *dauþis* „tot“; ags. *déad*, as. *dōd*, ahd. *tōt*. — got. *hauhs* „hoch“, ags. *héah*, as., ahd. *hōh*; aisl. *haugr* „Hügel“, mhd. Gen. *houges*. — got. *asans* „Ernte“; ahd. *aran*.

e. Ausnahmen vom Vernerschen Gesetz.

Steht ein stimmloser Spirant vor einem anderen stimmlosen Laut, so verhindert dieser sein Stimmhaftwerden; *ft, hs, ht, sp, st, sk* werden also von Verners Gesetz nicht berührt: ai. *aṣṭáu* „acht“, gr. ὀκτώ, got. *ahtau*, ags. *eahta*, as., ahd. *ahto*. — Part. Prät. ags. *borsten*, ahd. *gibrostan* von ags. *berstan* „bersten“, ahd. *brestan*.

Auch langes *s* (*ss*) wird niemals stimmhaft: got. *un-wiss* „ungewiß“, aisl. *viss* „gewiß“, ahd. *gewis* (Adv. *giwisso*) aus *ṷit-tó-s*, Part Prät. zu got. *witan* „wissen“.

C. Letzter Verschiebungsakt.

Die idg. stimmhaften Verschlußlaute (Mediä) *b, d, g, gᵛ* gehen in die stimmlosen (Tenues) *p, t, k, kᵛ* über.

Die so entstandenen Laute erliegen später ahd. der zweiten Lautverschiebung, die hier zum besseren Verständnis der Beispiele für den urg. Verschiebungsakt zunächst behandelt wird.

a. Die hochdeutsche Lautverschiebung.

Die germ. Tenues werden ahd. im Anlaut und nach Konsonanten zu Affrikaten (d. h. Tenues + Spiranten), wenn

sie in letzterem Falle lang (in der Schrift doppelt) sind, zu
langen Affrikaten (langen Tenues + Spiranten); nach Vokalen
gehen sie in lange Spiranten über, die jedoch im Auslaut
Kürzung erleiden. Doch wird die Verschiebung zu Affrikaten
nur aobd. streng durchgeführt, amd. ist sie mannigfach ab-
gestuft.

1) Germ. *p* wird ahd. je nach der Stellung zu *pf, ff* oder
f; *pp* wird *ppf*. Doch bleiben thüring. *mp* und *pp* unverschoben,
rheinfrk auch anl. *p*, mittelfrk. auch *rp* und *lp*: ags. *pæþ*
„Pfad“, aobd., ostfrk., thür. *pfad*, rheinfrk., mfrk. *pad*. —
ags. *zelimpan* „sich zutragen“, obd., ostfrk. (ahd.) *gelimpfan*,
thür., rheinfr., mfrk. (mhd.) *glimplich* „recht“. — as. *skeppian*
„schaffen“, obd., ostfrk. (ahd.) *scepfen*, thür., rheinfrk., mfrk.
(mhd.) *scheppen*. — got. *hilpan* „helfen“ ahd. *helpfan*, nur
mfrk. *helpan* — got. *slēpan* „schlafen“, ahd. *slāffan*. — got.
skip „Schiff“, ahd. *scif*.

2) Germ *t* wird ahd. je nach der Stellung zur Affrikata
z oder zur langen Spirans *zz* oder zur kurzen Spirans *z*; *tt* wird
zur langen Affrikata *zz*. Die Spirans *z* war eine vom alten
(einem *š* näher stehenden) *s* verschiedener, aber gleichfalls
stimmloser *s*-Laut, und die von ihr in der Schrift fast nirgends
geschiedene Affrikata bestand aus *t* und diesem *s*-Laut*), die
lange Afrikata aus *tt* und diesem *s*-Laut. Nur der rheinfrk.
Isidor aus dem 8. Jahrhundert scheidet von *z* als kurzer Affrikata und *tz* als langer Affrikata *zs* als kurze Spirans und *zss*
als lange Spirans: got. *taikns* „Zeichen“, ahd. (auch Is.) *zeihhan*.
— got. *salt* „Salz“, ahd. (auch Is.) *salz*. — as. *sitit* „sitzt“, ahd.
sizzit (Is. *sitzit*). — as. *water* „Wasser“, ahd. *wazzar* (Is.
uuazssar). — ags. *þæt* „das“, as. *that*, ahd. *daz* (Is. *dhazs*).

3) Germ. *k* wird ahd. je nach der Stellung zur Affrikata
kh (*k* + *ach*-Laut, meist *ch* geschrieben) oder zur langen Spirans
hh (langer *ach*-Laut, später auch *ch* geschrieben) oder zur kurzen
Spirans *h* (kurzer *ach*-Laut); *kk* wird zu *cch* (langem *k* +
ach-Laut); die Affrikata ist jedoch nur aobd., amd. bleibt dafür
k (*c*): as., amd. *kind* „Kind“, aobd. *chind*. — got. *skalks* „Knecht“,
amd. *scalc*, aobd. *scalch*. — as., amd. *ackar* „Acker“, aobd.
acchar. — got. *taikns* „Zeichen“, ahd. *zeihhan*. — got. *ik*
„ich“, ahd. *ih*.

---

*) Von uns wird jetzt die Spirans vielfach ʒ zum Unter-
schiede von *z* als Affrikata geschrieben.

b. Die idg. Mediä im Germanischen.

1) Idg. *b* wird germ. *p*: ion. βαίτη „Hirtenrock“, got. *paida* „Rock“, ags. *pád*, as. *pēda*, ahd. *pfeit.* — lat. *labium, labrum*, as. *lepor* „Lippe“, ahd. *leffur.* — lit. *dubùs* „tief, hohl“, got. *diups* „tief“, aisl. *diúpr*, ags. *déop*, as. *diop*, ahd. *tiof.*

2) Idg. *d* wird germ. *t*: gr. δέχα, lat. *decem*, got. *taíhun*, aisl. *tío*, ags. *tíen*, as. *tehan*, ahd. *zehan.* — gr. χλάδος „Zweig“, abg. *klada* „Holz“, aisl., ags. *holt* „Gehölz“, ahd. *holz.* — gr. ἔδομαι, lat. *edere*, got. *itan* „essen“, aisl. *eta*, ags., as. *etan*, ah.l. *ezzan* (e33an); aisl. *át* „aß“, ags. *ǽt*, as. *āt*, ahd. *āz* (ā3).

3) Idg. *ĝ* wird über *g* zu *k*: ai. *jā́nu* „Knie“, gr. γόνυ lat. *genu*, got. *kniu*, aisl. *kné*, ags. *cnéo*, as. *knio*, amd. *kniu*, aobd. *chniu.* — ai. *mr̥jā́mi* „streiche ab“, gr. ἀμέλγω „melke“, lat. *mulgeo*, aisl. *molka* „melken“, ags. *melcan*, mnd. *melken*, amd. *melkan*, aobd. *melchan.* — ai. *ájras* „Trift“, gr. ἀγρός „Acker“, lat. *ager*, got. *akrs*, aisl. *akr*, ags. *æcer*, ahd. *ahhar.*

4) Idg. *g* wird *k*: lit. *garnȳs* „Reiher, Storch“, gr. γέρανος „Kranich“, ags. *cran*, as. *crano*, aobd. *chranuh.* — ai. *yugám* „Joch“, abg. *igo*, gr. ζυγόν, lat. *iugum*, got. *juk*, aisl. *ok*, ags. *zeoc*, ahd. *joh*, Gen. *johhes.*

5) Idg. *gᵛ* wird *kᵛ*, das got. als *k* mit gleichzeitiger Lippenrundung noch durch das einheitliche Zeichen **u** wiedergegeben und von uns *q* geschrieben wird: ai. *jīvás* „lebendig“, lit. *gývas*, lat. *vīvus*, air. *bíu*, got. *qius.* — ai. *rájas* „Finsternis“, gr. ἔρεβος, got. *riqis.*

4. Veränderungen der Artikulationsstelle.

Hierhin gehört der Zusammenfall der Palatale mit den Velaren in den *centum*-Sprachen. Komplizierter gestalten sich die Veränderungen der Labiovelare.

A. Die Labiovelare im Urgermanischen.

a) Die Labiovelare werden zu bloßen Velaren in folgenden Fällen (in denen also, da die Velare auch der Lautverschiebung erliegen, k^v durch h oder $ȝ$ nach Verners Gesetz, g^v durch k, g^vh durch $ȝ$ vertreten ist):

1) Vor u, $\bar u$: ai. *kū* „wo“, kret. *ὄ-πνι*, umbr. *pue*, lat. *ali-cubi*, ags., afr., anorw. *hū* „wie“. — ai. *gurúṣ* „schwer“, gr. *βαρύς*, got. *kaúrus*.

2) Vor allen Konsonanten im Anlaut, vor den meisten auch im Inlaut: ai. *kŕp-*, lat. *corpus*, air. *cruth* „Gestalt“, kymr. *prýd* „Spezies“ (der Labial *p* weist auf idg. k^v), ags. *hrif* „Mutterleib“, ahd. *hrefi* — Lat. *inseque* „sag an“, gr. *ἔννεπε*, lit. *sakýti* „sagen“, aisl. *segia* „sagen“ (dies *i* ist *i̯*, also Konsonant).

3) Idg. g^vh stets im Anlaut: ai. *hánmi* „schlage“, gr. *ϑείνω*, *φόνος*, aisl. *gunnr* „Kampf“, ags. *gúđ*, ahd. *gund*.

b) Germ. $ȝ^v$ (aus idg. g^vh und k^v nach Verners Gesetz) wird *w*, wenn der vorhergehende Vokal noch nach idg. Betonung unbetont ist: gr. *ἀλκυών* (aus *$sualk^vón$) „Eisvogel“, ags. *swealwe* „Schwalbe“, ahd. *swalawa*.

B. Die Labiovelare in den Einzeldialekten.

1) Nord.-wg. lösen sich die Labiovelare in Velar + Labial auf, k^v also in *kw*, *hv* in *hw*, $ȝ^v$ in *ȝw*: got. *qiþan* „sagen“, aisl. *kveđa*, ags. *cwedan*, as. *quethan*, ahd. *quedan*. — got. *hvaiteis* „Weizen“, aisl. *hveite*, ags. *hwǽte*, as. *hwēti*, ahd. *hweizi*.

2) $ȝ^v$ bzw. g^v wird auch got. in *ȝw* bzw. *gw* aufgelöst: got. *siggwan* „singen“, aisl. *syngua*.

3) Wg. wird *ȝw* zu *ȝ*: ags. *sinȝan*, as., ahd. *singan*.

4) Nord.-wg. wird *hv* zwischen Vokalen zu *h*, das später wie jedes zwischenvokalische *h* aisl. und ags.

schwindet: got. *saihvan* „sehen“, as., ahd. *sehan*, aisl. *siá*,
ags. *séon*.

Da nur $ʒ^v$ bei Nichtbetonung der vorhergehenden
Silbe w wird, so zeigt sich da, wo idg. k^v stand, wg.
grammatischer Wechsel zwischen h und w (nord. ist kein
Unterschied vorhanden, da w dort auch wie h in den
betreffenden Stellungen schwand). Daher z. B.:

	Präs.	Sg. Perf.	Pl. Perf.	Part. Prät.
Got.	saihvan	sahv	(sēhvum)	(saihvans)
Ags.	séon	seah	sáwon	sewen
As.	sehan	sah	sāwun	gisewan
Ahd.	sehan	sah	(sāhum)	gisewan.

Die analogischen Formen sind eingeklammrt.

Nur vom grammatischen Wechsel zwischen h und w finden
sich auch noch Reste in der Deklination, so zwischen ahd.
dwerah „quer “(zu lat. *torqueo*) und seiner flektierten Form
dwerawēr. Ags. ist der Wechsel deutlich erhalten bei *horh*,
„Schmutz“, Akk. Sg. *horh*, Nom.-Akk. Pl. *horas* (für *hóras
aus *horhas wie *seolas* „Seehunde“ für *séolas* aus *seolhas) gegenüber Gen. Sg. *horwes*, Dat. *horwe*, Instr. *horu* (aus *horwu),
Gen. Pl. *horwa*, Dat. *horwum*. Diesem Wechsel in der o-De-
klination entspricht der in der konsonantischen im Griech. und
Ai. ($πούς$ = *pā́t*, $πόδα$ = *pádam*, $πόδες$ = *pádas*, $πόδας$ allerdings nur neben *padás*, aber *vácas* „Stimmen“ neben *vacás*; dagegen nur $ποδός$ = *padás*, $ποδί$ = Lok. *padí*, Instr. *padā́*,
$ποδῶν$ = *padā́m*, $ποσί$ = Lok. *patsú*.)

5. Konsonantenassimilationen.

Urg. haben verschiedene sowohl totale wie partielle An-
gleichungen von Konsonanten an Nachbarkonsonanten stattgefunden. Bei totaler Assimilation tritt an die Stelle zweier
Konsonanten ein einziger gedehnter, der in der Schrift durch
Doppelung bezeichnet wird; bei der partiellen wird die Artikulation der des Nachbarlautes nur angenähert. Je nachdem,
ob sich ein Laut einem folgenden oder vorangehenden an-
gleicht, kann man die Assimilation progressiv oder regressiv
nennen; die partiellen sind urg. nur progressiv.

A. Totale Assimilationen.

a. Progressive Angleichungen.

1) Die dentalen stimmhaften Spiranten, d. h. sowohl post-
dentales *z* wie (durch die Lautverschiebung entstandenes)
interdentales *đ*, assimilieren sich folgenden *l*; im ersteren Falle
war erst *s* vor *l* stimmhaft geworden, weil *l* selbst ein stimmhafter Laut ist, d. h. es war eine partielle Assimilation vor-
angegangen: gr. κρύος „Frost" (aus *κρύσος, wozu κρύο-ταλλος
„Eis"), aisl. *hriósa* „schaudern", wozu *hrolla* „zittern" aus
hrozl- aus *hrosl-. — as. *stađal* „Stand", ags. *stađol* „Stadel,
Scheune", ahd. *stadal* aus *stáþlo-; aisl. *stallr* „Stall", ags.
steall, ahd. *stal*, Gen. *stalles*, aus *stađló-.

2) *z* assimiliert sich auch folgendem *m*, nachdem es auch
vor diesem stimmhaften Laut erst aus *s* entstanden ist: ai.
tásmāi „dem", *ásmāi*, umbr. *esmei* „diesem", got. *þamma* „dem".

b. Regressive Angleichungen.

1) *u̯* assimiliert sich vorhergehendem *n*: ai. *riṇvā́mi*
„lasse fließen", got., as., ahd. *rinnan* „rinnen".

2) *n* assimiliert sich vorhergehendem *l*: ai. *ū́rna* „Wolle",
lit. *vìlna*, abg. *vlьna*, got. *wulla*, aisl. *ull*, ags. *wull*, mnd.
wulle, ahd. *wolla*.

B. Partielle Assimilationen.

1) Ein Nasal assimiliert sich einem ihm folgenden Verschlußlaut in bezug auf die Artikulationsstelle. So ist besonders der Labial *m* vor dem Dental *d* zum Dental *n* geworden: gr. ἄμαθος (aus *σάμαθος) „Sand", nhd. bair. *sampt*
(aus *samet), aber aisl. *sandr*, ags. *sond*, as. *sand*, ahd. *sant*.

2) Wo einem idg. *z* eine Media folgte, ist bei der Verschiebung dieser das *z* selbst stimmlos (also *s*) geworden: lat.
nīdus „Nest", lit. *lìzdas* (idg. *nizdo-s), ags., ahd. *nest*.

6. Konsonantendehnungen.

A. Konsonantendehnungen als Lautwandel.

a. Urgermanische Dehnung.

Die Halbvokale *i̯* (*j*) und *u̯* (*w*) werden nach kurzem im
Germ. haupttonigen Vokal zu den Doppellauten *i̯i̯* (*jj*) und
u̯u̯ (*ww*) gedehnt. Wg. wird dann das erste *i̯* und *u̯*, wenn

ihm ein Vokal anderer Klangfarbe vorausgeht, mit diesem zu einem Diphthong verschmolzen; hat der vorhergehende Vokal gleiche Klangfarbe, so ist das Verschmelzungsprodukt langer Vokal. Gotonord. entwickelt sich sowohl aus $i̯$ vor $i̯$ wie aus $u̯$ vor $u̯$ langes g (gg), das in ersterem Falle got. weiter in langes d (dd) übergeht: ai. *dráyōs* „zweier", ahd. (im Isidor) *zweio*, aisl. *tveggia*, got. *twaddjē*. — ai. *priyá* „Geliebte", ahd. *Frīja* (Gattin des höchsten Gottes), ags. *Frízg*, aisl. *Frigg*, Gen. *Friggiar*. — lit. *káu-ju* „schlage, schmiede", abg. *kov̨ǫ* „schmiede", ahd. *houwan·* „hauen", as. *hauwan*, ags. *héawan*, aisl. *hǫggva*. — gr. ϑvo-$\sigma x \acute{o} o \varsigma$ (aus *$\sigma x \acute{o} F o \varsigma$) „Opferschauer", ahd. *scouwōn* „schauen", as. *skauwōn*, ags. *scéawian*, wozu schwundstufig got. *skuggwa* „Spiegel", aisl. *skugg-siá* „Spiegel", *skugge* „Schatten" (hier w geschwunden), ags. *scuwa* „Schatten", ahd. *scūwo*.

Nicht selten unterbleibt die Dehnung aus unbekannten Gründen. So steht neben ahd. *Frīja* got. *frijōn* „lieben", aisl. *friá*, wozu got. *frijōnds* „Freund", as. *friund*, ahd. *friunt*, neben aisl. *hǫggva* got. *hawi* „Heu" (eigentl. „zu Hauendes"), ahd. *hèwï*.

b. Westgermanische Dehnungen.

1) Vor $i̯$ (j) wird wg. jeder Konsonant gedehnt. Das $i̯$ selbst ist allgemein nur noch as. erhalten, ahd. nur noch in ältester Zeit; ags. ist es schon vor Beginn der Überlieferung geschwunden: got. *kunjis* „des Geschlechts", aisl. *kyns*, ags. *cynnes*, as. *kunnies*, ahd. *kunnes*. — got. *hlahjan* „lachen", aisl. *hlǽja*, ags. *hliehhan*, as. *hlahhian*, ahd. *hlahhen*. — got. *skapjan* „schaffen", aisl. *skepia*, ags. *scieppan*, as. *sceppian*, ahd. *scèpfen*.

Der Dehnung entzieht sich nur r, gleichviel ob altes r oder erst aus z entstanden: got. *harjis* „des Heeres", ags. *herzes* ($z = i̯$), ahd. *hèries*. — got. *hazjan* „loben", ags. *herian*.

2) Vor den Liquiden werden wg. die germ. Tenues p, t, k gedehnt. Die r und l waren hier in verschiedenen Fällen, besonders im Nom. Sg., silbisch geworden (wobei sie jedoch nicht mehr mit idg. $r̥$ und $l̥$ zusammenfielen, die schon früher in *or* und *ol* übergegangen waren) und treten so noch got. und nord. auf. Wg. erzeugten sie zwischen sich und dem vorhergehenden Konsonanten wieder Vokale verschiedener Färbung; vor dem Vokal konnte lautgesetzlich keine Dehnung

stattfinden, doch trat diese meist analogisch nach verwandten Formen ein: got. *snutrs* „klug", aisl. *snotr*, ags. *snottor*, as., ahd. *snottar* (nach Gen. *snottres* usw.), — got. *akrs* „Acker", aisl. *akr*, ags. *æcer*, ahd. *ahhar*, daneben as., amd. *akkar* (nach *akkres*), aobd. *acchar* (nach *acchres*). — aisl. *kitla* „kitzeln", mnd. *kettelen*, ahd. *kizilōn*, mhd., nhd. *kitzeln* (*tz* kann nur auf *tt* zurückgehen). — aisl. *eple* „Apfel", ahd. *afful* wie *affoltra* „Apfelbaum", ags. *apuldr*, aber ags. *æppel*, mnd. *appel*, ahd. *apful* (nach *æpples* usw.).

B. Konsonantendehnungen als Lautsymbolik.

Der wurzelauslautende Konsonant eines Verbums konnte germ. auch gedehnt werden, um die Intensität einer Handlung zu bezeichnen z. B. in ahd. *zocchōn* „zucken" zu *ziuhan* „ziehen", mhd. *stutzen* „plötzlich innehalten" zu ahd. *stōʒan* „stoßen", got. *stautan*. War der Konsonant eine Media, so wurde die Intensität nicht nur durch Verstärkung seiner Zeitdauer, sondern auch seiner Artikulation, d. h. durch Verwandlung der Media (Lenis) in die Tenuis (Fortis) zum Ausdruck gebracht, z. B. in niederd. *schuppen* „einmal heftig schieben", ahd. *ver-scupfen* „schaukeln, stoßen" zu *skioban* „schieben", nhd. *placken* zu *plāgen*. Daher werden auch manche andere Verba dieser Formation, bei denen wie bei ags. *liccian* „lecken", ahd. *lecchōn* neben got. *-laigōn* „lecken" die Intensivbedeutung nicht mehr hervortritt, doch als ursprüngliche Intensiva zu betrachten sein.

Neben solchen Verben mit Intensivbedeutung standen zuweilen auch Substantiva gleicher Art, z. B. neben ahd. *-scupfen* ein *scupfa* „Schaukelbrett". Vielleicht ist daher auch bei manchen anderen Substantiven dieser Bildungsweise z. B. bei aisl. *hǫttr* „Hut", ags. *hætt* neben ags. *hōd* „Hut", ahd. *huot* ursprüngliche Intensivbedeutung anzunehmen (dann *hǫttr* eig. „großer Hut").

Doch war die Konsonantendehnung und Konsonantenverschärfung bei Substantiven auch gerade ein Mittel der Deminution z. B. in ags. *ticcen* „Zicklein", ahd. *zickīn* neben ahd. *ziga* „Ziege". Man wird daher auch für manche andere Fälle, in denen neben Substantiven mit einfachem Konsonanten im Wurzelauslaut gleichbedeutende mit gedehntem und eventuell verschärftem Konsonanten liegen, ursprüngliche Deminuierung annehmen dürfen z. B. für ahd. *knappo* „Knabe" neben *knabo* „Knabe“, ags. *cnafa* die Urbedeutung „Knäblein“. Dieser Deminutivbildung sehr nahe steht auch die Schöpfung von Kosenamen durch Kürzung des Vollnamens und Dehnung des letzten Konsonanten der Kurzform (doch bei Media nicht stets mit Verschärfung) im Ahd. z. B. in *Itta* für *Itaberga*, *Sicco* für *Sigerīh*, *Aggo* für *Agobard*.

IV. Auslautsgesetze.

Wie in anderen idg. Sprachzweigen so haben auch germ. wortauslautende Silben besondere Lautverluste erlitten. Und zwar sind hier im allgemeinen zuerst die Konsonanten, dann die Vokale von den Auslautsgesetzen betroffen worden, da Vokale, denen nach den drei zuerst zu nennenden Gesetzen abfallende Konsonanten folgten, gleichfalls noch verkürzt oder getilgt wurden, nicht aber Konsonanten, hinter denen auslautende Vokale weggefallen waren.

1. Konsonantische Auslautsgesetze.

1) Urg. wird ausl. -*m* zu -*n*: lat. *quum*, got. *ƕan* „wann“.

2) Ausl. Nasal verschmilzt urg. in unbetonter und langer betonter Silbe mit vorhergehendem Vokal zum Nasalvokal. Die Annahme, daß der Nasal nicht spurlos schwand, ist deshalb notwendig, weil später, als die Vokale, die bereits idg. im Auslaut gestanden hatten, schon verloren waren, diejenigen, denen noch ein Nasal gefolgt war (also die Nasalvokale) noch existierten: so heißt es urn. z. B. in der 1. Sg. Perf. *un-nam* aus **-nam-a* (vgl. gr. λέλοιπα), aber im Akk. Sg. *staina* aus **stainam* (vgl. lat. *equom*). Hinter kurzem betonten Vokal bleibt der Nasal: got. *ƕan*. Mit vorhergehendem langen betonten Vokal verschmilzt er dagegen auch zum Nasalvokal: ai. Akk. Sg. F. *tā́m* „diese“, got. *þō*.

3) Ausl. dentale Verschlußlaute schwinden urg. in unbetonter Silbe: ai. *bhárēt* „er möge tragen", got. *baírai*, aisl., ags., as., ahd. *bere.* — ai. *adharád* „von unten", got. *undarō.* Daß dieser Schwund später fällt als die Entstehung der Nasalvokale, ergibt die Erhaltung des *n* vor ursprünglichem Dental in got. *bērun* „sie trugen", ags. *bǽron*, as., ahd. *bārun* mit derselben Personalendung wie lat. *ferēbant.* Hinter kurzem betonten Vokal bleibt der Dental: lat. *quod*, aisl. *huat*, ags. *hwæt,*as. *hwat*, ahd. *hwaz.*

4) Wg. schwindet (naeh Verners Gesetz entstandenes) ausl. -*z* in unbetonter Silbe, während es got. zu -*s*, urn. wie jedes -*z* zu *R*, aisl. zu *r* wird: got. *days* „der Tag", urn. *Dagaʀ* (Eigenname), aisl. *dagr* „der Tag", ags. *dæʒ*, as. *dag*, ahd. *tac* aus *daʒaz.* Hinter kurzem betonten Vokal bleibt das -*z* auch wg. und wird daher hier weiter wie jedes *z* zu *r*: got. *mis* „mir", aisl. *mér*, ahd. *mir.*

5) Nord.-wg. schwindet -*ns*: got. Akk. Pl. *gastins* „Gäste", aisl. *geste*, as. *gesti*, ahd. *gesti*; got. Akk.Pl. *sununs* „Söhne", aisl. *suno*, ags. *sunu*, ahd. *silu* „Sitten".

2. Vokalische Auslautsgesetze.

Die vokalischen Auslautsgesetze treffen nur unbetonte Silben.

A. Lange Vokale.

Im absoluten Auslaut bleiben die schleiftonigen und die nasalierten langen Vokale got. als Längen erhalten, werden dagegen nord.-wg. zu Kürzen; die nicht nasalierten stoßtonigen langen Vokale gehen hier auch got. in Kürzen über. Am meisten kommen hier die verschiedenen Arten des *ō* in Betracht.

Auf idg. *õ* weisen die lit. pronominalen Genetive von *o*-Stämmen wie *tõ* „desselben", die aus Ablativen hervorgegangen sind und ai. Ablativen wie *tãd* „von demselben" (idg. *tŏd) entsprechen. Auch got. *undarō* „unten" ist aus einem Abl. entstanden, da es dem ai. Abl. *adharā́d* entspricht, und aufs deutlichste zeigen noch ablativische Bedeutung die got. Adverbien auf -*þrō* wie *aljaþrō* „anderswoher", *hvaþrō* „woher" usw. Aus Ablativen hervorgegangen sind auch die germ. Adverbia auf -*ō* wie got. *galeikō* „in gleicher Weise" (eig. „von gleicher Seite her"), aisl *glíka*, as. *gilīco*, ahd. *gilīhho* nebst denen auf -*ingō*, -*ungō* wie got. *unwēniggō* „unverhofft", ags. *wéninȝa* „vielleicht", as. *wissungo* „sicherlich". Dieselben Vokalfärbungen weist wg. auch der Nom. Sg. der maskulinen *n*-Stämme auf wie ags. ȝuma „Mann", as. *gumo*, ahd. *gomo*, dem auch alit. *žmũ* aus idg. *$\hat{g}$hmõ* entspricht, während das Got. hier für *gumō* ein *guma* nach dem Akk. Sg. auf -*an* gesetzt hat.

Wie *õ* ist in den verschiedenen germ. Dialekten auch *õⁿ* (d. h. nasaliertes *õ*) des Gen. Pl. vertreten, der nach Ausweis z. B. von ai. *padā́m* „der Füße", gr. ποδῶν, θεῶν, lit. *děrų̃* schon idg. bei allen Stammklassen auf -*ōm* endete; vgl. got. *tuggōnō* „der Zungen", aisl. *tungna*, ags. *tunȝena*, as. *tungono*, ahd. *zungōno*; got. *gibō* „der Gaben", aisl. *giafa*, ags. *ȝiefa*, as. *geƀo*; aisl., ags. *fóta* „der Füße"; as., ahd. *nahto* „der Nächte".

Anders gefärbte Vokale entstehen aus urg. *õⁿ*, so im Nom. Sg. der femininen *n*-Stämme wie got. *tuggō* „Zunge", aisl. *tunga*, ags. *tunȝe*, as. *tunga*, ahd. *zunga* (vgl. gr. ἀηδών) aber auch der neutralen *n*-Stämme wie got. *augō* „Auge", aisl. *auga*, ags. *éaȝe*, as. *ōga*, ahd. *ouga*: daß hier got. so gut wie nord. und wg. Feminina und Neutra übereinstimmen, beweist ihre Übereinstimmung schon im Urg. Dieselben Vokalfärbungen zeigen sich nord und wg. in der 1. Person Sg. Ind. der schwachen Präterita, wo urg. *õⁿ* aus -*óm* zugrunde liegt: ags. *nerede*

„ich nährte", as. *nerida*, ahd. *nerita*, aisl. *fáđa* „ich ritzte"
(urn. noch *faihiđo*), während got. *nasida* für **nasidō* aus
der 3. Person übertragen worden ist.

Urg. -*ó* wird got. zu -*a* gekürzt, nord-wg. zu -*u*.
Urn. ist dies -*u* noch erhalten; aisl. fällt es ab, nachdem
es Umlaut gewirkt hat; wg. bleibt es nach kurzer, fällt
ab nach langer Silbe. Hierhin gehört der Nom. Sg. der
ā-Stämme auf idg. -*ā́*: gr. *ϑεά̄*, lit. *geró-ji* „die gute"
(vgl. S. 32); das -*ā* ist als -*ō* got. noch erhalten in dem
haupttonigen *sō* „diese" = ai. *sā́*, dor. *ā́*, att. *ἥ*, gekürzt
in got. *giba* „Gabe", aisl. *giọf* (aus **geƀu*), ags. *ȝiefu* neben
fór „Fährt", ahd. *thisu* „diese" neben *hwīl* „Weile". Auf idg.
-*ó* stellt sich hierzu die 1. Sg. Präs. Ind. Akt.: gr. *φέρω*,
lit. *sukù* „drehe", zusammengesetzt in *sukù-s* (lit. *ụ̀* aus
idg. *ó*), got. *baíra* „ich trage", aisl. *ber* (das -*u* ist auch
noch als -*o* erhalten, wo es durch Anhängung eines Wortes
inl. geworden war, in *bero-mk* „ich werde getragen", eig.
„trage mich"), mercisch *beoru*, as., ahd. *biru* und mit
analogisch wiederhergestelltem -*u* auch nach langer Silbe
in *bindu* „ich binde".

Beispiel für einen anderen Vokal ist das idg. -*í* im
Nom. Sg. der *i̯ē*-Stämme: ai. *bṛhatī́* „die große", got.
bandi „Fessel".

Vor -*s* und ursprünglichem -*z* bleibt auch wg. ge-
schleifter langer Vokal erhalten, wobei *õ* in *ã* umgefärbt
wird, so im Nom. Pl. der *ā*-Stämme: ai. *áśvãs* „Stuten",
got. *gibōs* „Gaben", ahd. *gebā*; as., ags. sowie aisl. wird
dies *ā* zu *a* gekürzt: as. *geƀa*, ags. *ȝiefa*, aisl. *giafar*.
Gestoßener langer Vokal wird auch ahd. in dieser Stellung
im Gegensatze zum Got. gekürzt: lat. *velīs*, got. *wileis*
„du willst", ahd. wie as. *wili*, ags. *wile*, wo Stoßton anzunehmen ist, weil idg. Schleifton nur durch Kontraktion
oder Lautverluste entstanden war.

Vor -*r* werden stoßtonige Vokale überall germ. gekürzt: gr. πατήρ, got. *fadar*, aisl. *faðer*, ags. *fæder*, as.
fader, ahd. *fater*.

B. Diphthonge.

Normaldiphthonge bleiben schleiftonig im Auslaut
got. erhalten, so germ. -*aĩ* im Opt. Präs.: lit. *te-suķ͂* „er
möge drehen" (-*ễ* aus idg. -*oĩ*), got. *baírai* „er möge tragen".
Das Wg. hat hier *ē* (in unbetonter Silbe für *ai*) im absoluten Auslaut gekürzt und nur wieder vor -*s* bzw. -*z* erhalten: ahd. *bere*, aber *berēs* „du mögest tragen" = got.
baírais; dabei macht es natürlich nichts aus, daß letzteres
ē in as. *beres*, ags. *bere* (wie in aisl. *berer*) später gleichfalls gekürzt wird. Parallel dem -*aĩ* bleibt auch -*aũ* wg.
als *ō* vor -*s*, -*z* erhalten und wird nur wieder as. (zu *o*), ags.
(zu *a*) wie auch aisl. (zu *a*) sekundär gekürzt: lit. *sunaũs*
„des Sohnes", got. *sunaus*, ahd. *fridō* „des Friedens" (aus
friþauz), as. *suno*, ags. *suna*, aisl. *sunar*.

Stoßtoniges -*ai* wird got. zu *a* gekürzt: gr. φέρεται
(die Betonung der drittletzten Silbe beweist hier Stoßton der letzten), got. *baírada*. Wg. findet die Kürzung
hier erst nach Kontraktion des *ai* zu *ē* statt: Beispiel ist
nur ags. *hátte* = got. *haitada* „er wird genannt".

Die Langdiphthonge *ēi*, *ēu*, *ōi*, *ōu* kürzen got. im
Auslaut ihren ersten Vokal in *a*, z. B. *anstai* (aus -*ēi*)
„der Gunst" (Dat.), *sunau* (aus -*ēu*) „dem Sohne", *gibai*
(aus -*ōi*) „der Gabe" (Dat.), *ahtau* (aus -*ōu*; vgl. ai.
aṣṭáu) „acht". Nord.-wg. wird -*ēi* zu *ei*, weiter aisl. *e*
(*brúðe* „der Braut" = got. *brūdai*), wg. -*i* (as *ansti*, ahd.
˙*nsti*), -*ēu* zu -*iu* (urn. Dat. *Kunimudiu*, ahd. *suniu*), -*ōi*
zu -*ẽ*, woraus ags. -*e* (ʒ*iefe*), -*ōu* zu -*õ*, das weiter genau
wie sonstiges -*õ* behandelt wird: aisl. *átta*, ags. *eahta*, as.
ahd. *ahto*: die Kontraktion zu *ō* erklärt sich daraus, daß,

wie die Langdiphthonge länger als die Normaldiphthonge,
so die geschleiften Längen länger als die gestoßenen
waren.

C. Kurze Vokale.

1) Urg. geht -*i* in dritter und vierter Silbe im absoluten Auslaut und vor -*s*, -*z* verloren: urn. *witaða-ha-
laiban* „dem Brotherrn" aus *-ani*. Got. *gasteis* (Nom.)
„Gäste" aus -*īz* aus -*ijiz*. — got. *gáfaurs* „gesittet" aus
gáfauris (Nom. Pl. *gafaurjōs*). — Got. *aljakuns* „fremd"
neben *sa aljakunja* „der Fremde".

2) Got. schwindet -*a* im absoluten Auslaut und vor
-*s* (meist aus -*z*), im ersteren Falle auch -*a^n*: ai. *véda*
„ich weiß", gr. *Ƒοῖδα*, got. *wait*. — urn. *stainaʀ* „der
Stein" aus *stainaz*, got. *stains*. — urn. *staina* „den Stein"
aus *staina^n* (vgl. lat. *equom* mit *equos*), got. *stain*.

In den gleichen Fällen schwinden -*i* und -*i^n* nach
langer Silbe: gr. *πατρί*, got. *fadr* — lat. *hostis*, got. *gasts*
„der Gast". — got *gast* „den Gast" aus *gasti^n* aus *gastim*
wie lat. *sitim* von *sitis*. — Dagegen bleibt -*i* nach kurzer Silbe (nur von -*s* sind Beispiele erhalten, die analogisch nicht verändert sind): *nawis* „tot", *sutis* „ruhig".

Got.- *u* und -*u^n* bleiben stets: gr. *πολύ*, got. *filu*. —
ai. *sūnús* „der Sohn", got. *sunus*. — ai. *sūnúm* „den Sohn",
got. *sunu*.

3) Nord-wg. schwindet *u* in dritter Silbe im absoluten
Auslaut und vor -*z*: got. *augōna* (-*a* aus -*ō*) „die Augen",
aber aisl. *augo* (aus *augon*), ags. *éaȝan*, as. *ōgon*, ahd.
ougun aus *augōnu* (aus -*ō*). — urn. *suniʀ* „Söhne" (Nom.),
as., ahd. *suni* aus *suniuz* (got. *sunjus*).

4) Urn. ist -*a* verloren, -*aʀ* und -*a^n* noch erhalten;
aisl. schwindet auch -*a* vor -*ʀ* sowie -*a^n*. — 1. Sg. Perf.
gr. *λέλοιπα*, urn. *un-nam* „ich unternahm", aisl. *nam*. —

got. *dags* „der Tag", *stains* „der Stein", urn. *dagaʀ*, *stai-*
naʀ, aisl. *dagr*, *steinn*. — got. *stain* „den Stein", urn. *staina*,
aisl. *stein*.

Urn. findet sich für *-i* in zweiter Silbe kein Beispiel;
aisl. ist es geschwunden: *feðr* (gr. πατρί). Vor *-ʀ* steht
-i noch in urn. *Hlewa-gastiʀ*, *Sali-gastiʀ* nach **gastiʀ* „der
Gast", schwindet aber noch in urn. Zeit nach langer,
bleibt jedoch nach kurzer Silbe: *barūtʀ* „bricht", aber
noch aschw. Wik. *sitiʀ* „sitzt"; aisl. ist *i* hier auch nach
kurzer Silbe verloren: *sitr* wie *brýtr*. Aisl. ist auch *-i*^{n}
geschwunden: *gest* „den Gast" (urn. kein Beispiel).

Für idg. *-u* gibt es urn. keine Beispiele; aisl ist es
abgefallen: lat. *pecu*, got *faíhu* „Vieh", aisl. *fé*. Vor *-ʀ*
ist *u* nach kurzer Silbe noch in der Wikingerzeit aschw.
erhalten: *sunuʀ* „der Sohn", *karuʀ* (für **gʌruʀ*) „bereit";
aisl schwindet es auch hier, nachdem es die umlaut-
fähigen Vokale umgelautet hat: *sunr* (*sun*), *gǫrr*. *-u*^{n}
schwindet urn. nach langer, bleibt nach kurzer Silbe: daher Akk. *Asmunt* neben *sunu* auf dem Stein von Sölves-
borg (8 Jahrhundert). Aisl. schwindet es auch nach kurzer
Silbe, nachdem es Umlaut gewirkt hat: *sun* „den Sohn",
mǫg „den Sohn" für urn. *magu*.

3) Wg. ist weder *-a*, sei es im absoluten Auslaut oder
vor ursprünglichem *-x*, noch *-a*^{n} irgendwo erhalten: ags.
nóm „ich nahm", as. ahd. *nam*. — ags. *dæʒ*, as. *dag*, ahd.
tac „1. der Tag, 2. den Tag".

Wg. schwinden *-i* und *-u* im absoluten Auslaut und
vor ursprünglichem *-x* wie auch *-i*^{n} und *-u*^{n} nach langer
Silbe, bleiben aber nach kurzer: ags. *fét* (aus **fōti*) „dem
Fuß" (gr. ποδί); *hnyte* (aus **hnuti*) „der Nuß". — ags.
ʒiest, as., ahd. *gast* „1. der Gast, 2. den Gast"; altags., as.,
ahd. *wini* „1. der Freund, 2. den Freund". — Nom -Akk.
Sg. N. got. *hardu* „hart", ags. *heard*, as. *hard*, ahd. *hart*;

got. *filu* „viel", ags. *feolu*, as., ahd. *filu*. — got. Nom.
handus „Hand", Akk. *handu*, wg. Nom.-Akk. ags. *hond*,
as. *hand*, ahd. *hant*; ags., as., ahd. *sunu* „1. der Sohn,
2. den Sohn".

3. Chronologisches.

Dazu daß uns innere Gründe zwingen, die drei ersten
konsonantischen Auslautsgesetze vor alle vokalischen zu setzen,
paßt es vortrefflich, daß erstere sich auf das gesamte Germ.
erstrecken, sich also schon vollzogen haben müssen, als das
Got. mit dem übrigen Germ. noch geographisch zusammen-
hing, daß aber die meisten übrigen Auslautsgesetze dem Nord.
und Wg. abweichend vom Got. gemeinsam sind, höchstwahrscheinlich also gewirkt haben, als die Goten aus den Weichselgegenden abgezogen waren, zwischen Nord. und Wg. aber
noch ein inniger Verkehr bestand. Von konsonantischen Auslautsgesetzen gehört hierhin noch der Schwund des -*ns*, von
vokalischen erstens die Kürzung auch der geschleiften langen
Vokale, zweitens die Umfärbung des stoßtonigen -*ō* zu -*u*,
drittens die gleichartige Kürzung der Langdiphthonge, vier-
tens der Schwund des -*u* nach langer Silbe.

Da das nord.-wg. aus -*ō* entstandene -*u* demselben Ge-
setze wie das ursprüngliche -*u* unterlag, so ist natürlich der
Schwund des letzteren später als die Kürzung des stoßtonigen
-*ō* erfolgt.

Dritter Teil. Formenlehre.

I. Nomen.

1. Substantivum.

Das Idg. hatte drei Numeri des Substantivs, Singular,
Dual und Plural, drei Genera, Maskulinum, Femininum
und Neutrum, und acht Kasus, Nominativ, Genetiv, Dativ,
Akkusativ, Vokativ, Ablativ, Lokativ, Instrumental. Das

Germ. hat von den Numeris den Dual verloren, die drei Genera aber erhalten. Von den Kasus ist germ. der Abl., der auch idg. nur im Sg. und zwar nur bei den Stämmen auf -o- existiert hatte, aus der Substantivdeklination verschwunden, der Vok., der auch schon idg. eine vom Nom. abweichende Form nur im Sg. gehabt, nur noch got. erhalten, während er nord. auch im Sg. die Nominativform angenommen hat, wg. lautlich mit dieser zusammengefallen ist. Im Pl. sind dem Germ. auch Dat. und Lok. verloren gegangen, da hier der Instr. ihre Funktionen mitübernommen hat, der deshalb germ. auch Dat. genannt wird. Auch im Sg. ist der Dat. vielfach durch den Lok., der nicht mehr als selbständiger Kasus vorkommt, zuweilen auch durch den Instr., der als solcher noch bei gewissen Stammesklassen existiert, verdrängt worden. Beim N. hatte das Idg. vom M. abweichende Kasusformen nur im Nom.-Akk. der verschiedenen Numeri: so auch noch das Germ. beim Substantiv.

Die Deklination war idg. eine verschiedene, je nachdem welches wortstammbildente Suffix an die Wurzel getreten war (auch gab es Wortstämme, die nur aus der Wurzel bestanden). Die Endungen eines und desselben Kasus waren zwar bei den verschiedenen Stammesklassen nur selten von Haus aus verschieden: doch traten Abweichungen besonders dadurch ein, daß vokalisch auslautende stammbildende Suffixe mit vokalisch anlautenden Kasusendungen kontrahiert wurden. Man scheidet daher zunächst zwischen vokalischer und konsonantischer Deklination, deren erste man für das Germ. auch starke Deklination nennt. Am verbreitetsten waren die Stämme auf -e-, das in den meisten Kasus zu -o- ablautete, weshalb die Klasse meist o-Deklination heißt; sie umfaßte Maskulina und Neutra. Nur Feminina enthielten

idg. die weitverbreitete $\bar{a}$-Klasse und die $\underset{\smile}{i\bar{e}}$-Klasse. Dagegen waren alle drei Genera in der i-Klasse und der
u-Klasse vorhanden, ebenso in der konsonantischen Deklination. Von letzterer gewann die n-Klasse germ. die
weiteste Ausbreitung: sie führt dort auch den besonderen
Namen der schwachen Deklination. Von den übrigen konsonantischen Klassen haben sich germ. nur kleinere Gruppen
erhalten; es sind im wesentlichen die Wurzelstämme, die
Verwandtschaftsnamen auf -r, die substantivierten Partizipien auf idg. -nt und die es-Stämme.

Bei Erklärung der einzelnen Kasus werden die bereits behandelten Änderungen nach den Auslautsgesetzen
nicht mehr besonders vermerkt werden.

A. Vokalische Deklination.

a) o-Deklination.

α. Maskulina.

		Got.	Aisl.	Ags.	As.	Ahd.
Sg.	Nom.	dags „Tag"	armr „Arm"	earm	arm	arm
	Gen.	dagis	arms	earmes	armes, -as	armes
	Dat.	daga	arme	earme	arme	arme
	Akk.	dag	arm	earm	arm	arm
	Vok.	dag	armr	earm	arm	arm
	Instr.			earme	armu	armu
Pl.	Nom.	dagōs	armar	earmas	armos	arma
	Gen.	dagē	arma	earma	armo	armo
	Dat.	dagam	ǫrmom	earmum	armum	armum
	Akk.	dagans	arma	earmas	armos	arma

Sg.

1) Im Nom. trat idg. -s an -o-: gr. ἵππο-ς, alat.
equo-s. Das -os wurde germ. je nach Akzentstellung
-as oder -az; doch drang -az allgemein durch: daher
urn. stainaʀ „Stein", ags. earm usw.

2) Der Gen. hatte bei den *o*-Stämmen idg. die Pronominalendung *-sio*: gr. ἵπποιο aus *ἵππο-σιο = ai. *aśvasya* (*a* für idg. *o*); für das Germ. ist die Nebenform *-so* (vgl. abg. *česo* „wessen“) zugrunde zu legen. Idg. *-o-so* wurde germ. *-asa*, *-as*, steht so in urn. *Asugisalas*, north. *heofnas* „des Himmels“, altwestsächs. *earmæs* (woraus *-es*), as. *armas*. Das ablautende *-e-so* steht als *-is* in got. *dagis*. Da idg. *e* germ. unbetont *i* wird, so kann *-es* in as., ahd. *armes* nicht direkt idg. *-e-so* sein: das *i* ist vielmehr wieder zu *e* durch Einwirkung der Nebenform auf *-as* geworden, indem *a* und *i* zum mittleren *e* verschmolzen. Ähnliche Vorgänge kommen in lebenden Mundarten vor: so ist in Soest der unter dem Ton gedehnte *i*-Umlaut des *a* zu einem *i*-Diphthong geworden; überall aber, wo eine verwandte Form mit *a* oder *ā* noch daneben lag, ist *e*-Diphthong eingetreten: daher z. B. *iǝzl* „Esel“ (got. *asilus*), aber *featǝ* „Fässer“, weil *fat* „Faß“ noch daneben vorhanden war.

3) Der Dat. wurde idg. auf *-ai* gebildet, das mit *-o-* zu *-ōi* kontrahiert wurde: gr. ποταμῷ, alat. *populōi*. Daraus nord.-wg. *-ai*, das unbetont in *-ē*, weiter *-e* (altags. noch *-æ*) überging. — Got. ist der Dat. durch den Instr. ersetzt, der idg. durch bloße Dehnung des stammesausl. *-e-* gebildet worden war: noch instrumentale Bedeutung hat got. *þē* „dadurch“. In unbetonter Silbe wird got. stoßtoniges *-ę* (wie *-ō*) zu *-a*.

4) Im Akk. trat idg. *-m* an *-o-*: ai. *aśvam*, gr. ἵππον, lat. *equom*. Daher urn. *staina* „den Stein“ usw.

5) Im Vok. erschien idg. der reine Stamm auf *-e*: gr. λύκε, lat. *lupe*, lit. *vilkè*. Daher got. *dag*, ags. *earm* usw.

6) Im Instr. erschien idg. der Stamm, aber mit Dehnung des *-o* zu stoßtonigem *-ō*, woraus lit. *-ŭ* wie in *gerŭ-ju*: daher as., ahd. *hofu* „durch den Hof“ und mit

Wiederherstellung des *-u* nach langer Silbe auch *armu.*
— Ags. *-e* (altags. noch *-i*) geht auf *-ī* aus idg. *-eī* zurück, das aus stammesausl. *-e-* und Lokativendung *-i* kontrahiert war (vgl. gr. *οἴκει*).

Pl.

1) Im Nom. wurde idg. die Endung *-es* mit dem
-o des Stammes zu *-ōs* kontrahiert: ai. *vŕkās* „Wölfe"
(idg. *ō* wird ai. *ā*). An dies *-ōs* konnte aber *-es* noch-
mals gefügt werden wie in ai. *vŕkāsas*; stand der Akzent auf der Wurzel, so ergab das germ. *-ōziz*, worauf
allein afr. dialektisch *-ar* z. B. in *fiskar* „Fische" zurück-
geführt werden kann; es lassen sich aber auch got.
-ōs, aisl. *-ar* so erklären, während ags. *-as*, as. *-os* auf
-ōziz aus idg. *-ōs-es* zurückgehen können, indem die bei
den suffixbetonten *o*-Stämmen entstandene Endung verallgemeinert worden sein kann. Ahd. *-a* ist aus dem
Akk. eingedrungen.

2) Der Ausgang des Gen. war idg. *-ōm*, aus stammesausl. *-o* und Endung *-om* kontrahiert: gr. *ποταμῶν*,
ai. *vŕkām*. Daher aisl., ags. *-a*, as., ahd. *-o*. Got. *-ē* läßt
sich auf idg. *-ēm* zurückführen, das aus *-e-om* kontrahiert
sein könnte.

3) Der Instr. hatte idg. die Endung *-mis* (vgl. lit.
rañkomis „durch die Hände"), nur nicht bei den *o*-
Stämmen (vgl. ai. *áśvāis* „durch die Pferde"), gr. *ἵπποις*):
germ. ist *-mis* auch auf diese übertragen worden. Das
-mis erscheint als *-ms* noch in wg. Dativen von Namen
wie *Aflims* auf lateinischen Inschriften germanischer Sol-
daten der Römer: daß ein *i* hier in dritter Silbe aus-
gefallen ist, zeigt ags. *tvǽm* „zweien" aus *twaimiz* (got.
twaim) im *i*-Umlaut des *á* aus *ai*. Das *-s* in unbetonter
Silbe war *-z* geworden (so auch in *Aflims* aufzufassen),

das später wg. schwinden mußte. Aisl. -ʀ aus -ᴢ ist dem
vorangehenden *m* nur nach haupttoniger Silbe, in *þrimr*
„dreien", *tveimr* „zweien" nicht assimiliert worden: sonst
steht -*m* aus -*mm* aus -*mʀ.* — Das stammesausl. -*o*- erscheint got. als -*a*- in -*am*, ist aber nord.-wg. vor dem
Labial *m* als Labialvokal in -*om* und -*um* erhalten geblieben.

4) Der Akk. hatte idg. die Endung *ns*: kret. λύκονς.
Daher got. -*ans*, aisl., ahd. -*a*. Ags. -*as*, as. -*as*, -*os* stammen
aus dem Nom.

β. Neutra.

1) Der Nom.-Akk. Sg. stimmte idg. zum Akk. Sg. M.:
ai. *yugám* „Joch", gr. ζυγόν, lat. *iugum*, got. *juk.* Urn.
noch *horna* „Horn", aisl. *horn.* As., ahd., got., aisl. *barn*
„Kind", ags. *bearn.*

2) Nom -Akk. Pl.: ai. *yugā́*, lat. *iuga*, abg. *iga* (-*a* aus
-*ā̆*). Got. ist -*ā̆* als -*ō̆* noch unter dem Hauptton in *þō*
„diese" erhalten. Aber got. *barna* „Kinder", aisl. *bǫrn*,
ags. *bearn*, as., ahd. *barn*; daneben ags. *grafu* „Gräber",
as. *grabu.* Ahd. ist die endungslose Form auch auf die
kurzstämmigen Wörter übertragen worden: *grab* „Gräber".

b) *io*-Deklination.

Die *io*-Deklination ist nur eine Abzweigung der *o*-De-
klination, zu der besonders folgendes zu bemerken ist:

1) Idg. wurde, wie noch das Ai. und Abktr. erkennen
lassen, *i* vor Vokal zu *i̯*, wenn ihm eine kurze Silbe vorauf-
ging. Das ist auch noch germ. insofern erhalten, als got. die
io-Stämme mit kurzer Wurzelsilbe im Gen. Sg. -*jis*, die mit
langer aber -*eis* (aus -*i-is*) aufweisen: *harjis* „des Heeres",
hairdeis „des Hirten."

2) Im Nom. Sg. wurde -*ios* der langstämmigen M. germ.
zu -*īs* kontrahiert: got. *hairdeis* „der Hirt". Da hier der
Nom. lautlich mit dem Gen. zusammenfiel, so erhielt er auch
bei den kurzstämmigen M. die gleiche Form wie dieser: got.
harjis „das Heer".

c) $\bar{a}$-Deklination.

		Got.	Aisl.	Ags.	As.	Ahd.
Sg.	Nom.	giba „Gabe"	giǫf	ȝiefu	geba	geba
	Gen.	gibōs	giafar	ȝiefe	geba	gebā
	Dat.	gibai	giǫf	ȝiefe	gebu	gebu
	Akk.	giba	giǫf	ȝiefe	geba	geba
Pl.	Nom.-Akk.	gibōs	giafar	ȝiefa	geba	gebā
	Gen.	gibō	giafa	ȝiefa, -ena	gebo, -ono	gebōno
	Dat.	gibōm	giǫfom	ȝiefum	gebum	gebōm

Sg.

1) Der Nom. war hier idg. endungslos: ai. *áçvā* „Stute", gr. ϑεά. Dies -ā ist als -ō got. noch erhalten im haupttonigen *sō* „diese", und wo es in den Inlaut getreten war wie in *ni ainōhun* „keine" (zu *aina* „eine" wie *ni ainshun* „keiner" zu *ains* „einer"). Aus -ō erklären sich got. *giba*, aisl. *giǫf* (mit *u*-Umlaut), ags. *ȝiefu*. Neben ags. -*u* der kurzstämmigen Wörter liegt die endungslose Form der langstämmigen wie *fór* „Fahrt". As., ahd. -*a* ist aus dem Akk. übertragen.

2) Die Endung des Gen. war hier wie bei allen folgenden Klassen -*es*, ablautend -*os*, das mit -ā zu -*ās* kontrahiert wurde: ai. *áçvās*, gr. ϑεᾶς, lit. *mergôs* „Mädchens"; -*ās* wurde bei Wurzelbetonung germ. -ōᶻ, woraus got. -ōs, aisl. -*ar*, altags. -*œ*, ags. -*e*, as. -*a*, ahd. -ā.

3) Im Dat. wurde idg. -*ai* mit -ā zu -āᵢ kontrahiert: ai. *tasyāi* „dieser", gr. ϑεᾷ: daher got. -*ai*, altags. -*œ*, ags. -*e*. Die -*u* von aisl. **giafu*, woraus *giǫf*, as. *gebu*, ahd. *gebu* gehen auf -ó aus idg -ā́ des Instr. zurück (vgl. -*u* aus -ó im Instr. der *o*-Stämme); das -*u* ist as., ahd. auch auf die langstämmigen Wörter wieder übertragen worden z. B. in *ēru* „der Ehre".

4) Der Akk. fügte idg. -*m* an -ā-: ai. *áçvām*, gr. ϑεάν. Daraus germ. -ōm, woraus -ōⁿ, woraus ags. -*e*,

as., ahd. *-a*, auch aisl. *-a*, das aber nur noch beim Adjektiv
z. B. in *spaka* von *spakr* „klug“ existiert. Beim Sub-tan-
tiv hat gotonordisch nach Vorbild des Plurals der Akk.
Nominativform angenommen, wonach sich got. auch das
Adjektiv gerichtet hat.

Pl.

1) Im idg. Nom. wurde *-ā-es* zu *-ãs* kontrahiert: ai.
áśvãs. Die germ. Formen sind lautgesetzlich (urn. noch
runoʀ für aisl *rúnar* „Runen“).

2) Im Gen. wurde schon idg. das *-õm* der *o*-Stämme
wie auf alle Klassen so auch auf die *ā*-Klasse übertragen:
lit. *rañkū* „der Hände“, abg. *rakŭ* wie lit. *vilkū* „der
Wölfe“, abg. *vlŭkŭ*. Daneben existierte hier *-ā-nõm*: ai.
áśvānām. Beide Bildungen sind germ. erhalten, so auch
in urn. *runo, runono*.

3) Der idg. Instr. endete auf *-ā-mis*: lit. *rañkomis*.
Daraus der germ. Dat.

4) Im idg. Akk. lag wie im Nom. *-ãs* vor (wahrscheinlich hier aber aus *-ā-ns*): ai. *áśvãs*, lit. *aszwõs*, got. *gibōs*
usw.

d) *i̯ē*-Deklination.

Die *i̯ē*-Stämme sind in den idg. Sprachen häufig durch
i̯ā-Stämme ersetzt, die wie *ā*-Stämme flektieren (vgl. lat.
māteria neben *māteriēs*). Abweichende Bildungen von den
i̯ā-Stämmen zeigen germ. nur noch der Nom. und Akk. Sg.

1) Im Nom. Sg konnte *-ī* als Schwundstufe von *-i̯ē* ohne
Kasusendung stehen: ai. *bṛhatī́* „die große“, lit. *režantì* (*-ì*
aus *-ī*) „die fahrende“. So got. *bandi* „Band“ (Gen. *bandjōs*),
as. *rethi* „Rede“. In ags. *bend* „Band“ ist *-i* lautgesetzlich
nach langer Silbe geschwunden, in ahd. *kuningin* „Königin“
nach mehreren Silben; in aisl. *heiðr* „die Heide“ ist außerdem die
Kasusendung *-r* angetreten. Doch konnte idg. auch *-i̯ē* stehen:
lit. *žĕmē̃* „Erde“ (*i̯* schwindet lit. vor hellem Vokal), lat. mit
Nominativendung *māteriē-s*. So got. *sunja* „Wahrheit“ aus
*snti̯ē eig. „seiend“ (so ai. *satī́* F.).

2) Im Akk. Sg. entstand -*e* aus *i̯ē-m* (vgl. lat. *māteriem*) in aisl. *heiđe*, -*a* aus -*i̯a-m* (vgl. lat. *māteriam*) in as. *rethia*, ahd. *kuninginna*; ags. *bende* läßt beide Deutungen zu. Got. *bandja* ist nach *giba* gebildet.

e) *i*-Deklination.

α. Maskulina.

		Got.	Aisl.	Ags.	As.	Ahd.
Sg.	Nom.	gasts „Gast"	gestr	ʒiest	gast	gast
	Gen.	gastis	gests	ʒiestes	gastes	gastes
	Dat.	gasta	gest	ʒieste	gaste	gaste
	Akk.	gast	gest	ʒiest	gast	gast
	Vok.	gast	gestr	ʒiest	gast	gast
	Instr.			ʒieste	gastiu	gastiu
Pl.	Nom.	gasteis	gester	ʒiestas	gesti	gėsti
	Gen.	gastē	gesta	ʒiesta	gestio	gėsteo
	Dat.	gastim	gestom	ʒiestum	gestion	gėstim
	Akk.	gastins ·	geste	ʒiestas	gesti	gėsti

Sg.

1) Im idg. Nom. trat -*s* an -*ei̯*-, wie der Stammesausgang ursprünglich war, das aber, weil unbetont, zu -*i*- wurde: ai. *gátiš* „Gang", gr. βάσις, urn. *SaligastiR* usw. Wg. ist -*i* nach kurzer Silbe erhalten: altags., as., ahd. *wini* „Freund", ags. *wine*. Got. ist hier beim Substantiv stets z. B. in *striks* „Strich" Angleichung an die langstämmigen Wörter erfolgt.

2) Im Gen. ist urg. die Form der *o*-Deklination eingetreten.

3) Im Dat. ist aisl. *gest* aus **gasti* wahrscheinlich ursprünglich ein Instr. auf idg. -*ī*, parallel dem -*ō* der *o*-Stämme. Dieselbe Bildung findet sich auch noch as. bei den kurzstämmigen Wörtern z. B. in *hugi* „dem Sinne"; bei den langstämmigen wäre hier as. endungslose Form

zu erwarten: da solche aber sonst nur im Nom. und Akk. Sg. vorkamen, so wurde hier nach dem Gen. auf -es ein Dat. auf -e gebildet. Got., ags. und ahd. ist diese Bildung des Dat. nach dem Gen. allgemein.

4) Im Akk. war schon idg. -ị-m entstanden (vgl. Nom.): ai. *gátim*, gr. *βάσιν*, lat. *sitim*. In got. *strik* liegt dieselbe Angleichung vor wie beim Nom. In den wg. Dialekten ergab sich lautgesetzlicher Zusammenfall mit dem Nom.: daher auch altags., as., ahd. *wini*, ags. *wine*.

5) Der Vok. konnte idg. endungslose Schwundstufe zeigen: gr. *ὄφι*, got. *gast* usw.

6) Im Instr. ist as. und ahd. an das -ị des Stammes von den o-Stämmen her das als Instrumentalendung empfundene -u getreten.

Pl.

1) Idg. endete der Nom. auf -ei-es: ai. *agnáyas* „die Feuer", *tráyas* „drei", kret. *τρέες* (aus *treịes*). Daraus germ. -ịjiz, weiter -ĩz. Daher got. -eis, aisl. -er, as. -i, ags. nur noch selten -e wie in *wine* „Freunde"; meist ist wegen der übrigen Pluralkasus die Endung der o-Stämme (-as) eingedrungen. Ahd. -i stammt aus dem Akk.

2) Der Gen. endete idg. auf -iõm: gr. *τριῶν*, lat. *turrium*. Daher as. -io, ahd. -eo. In den nördlichen germ. Dialekten (nord., got., ags.) nahm der Gen. Pl. nach Muster des Gen. Sg. die Form der o-Deklination an; nur ags. findet sich noch vereinzeltes *winiʒa* (für -ia), *Deniʒa*.

3) Der Instr. endete idg. auf -i-mis: lit. *naktimis* „durch die Nächte". Daher im Dat. got., ahd. -im. Aisl. -om, ags. -um stammen aus der o-Deklination wegen des Gen. Pl. auf -a, as. -ion aus der ịo-Deklination wegen des Gen Pl. euf -io.

4) Der Akk. endete idg. auf -*i-ns*: kret. πόλινς. Die germ. Formen sind lautgesetzlich; nur ist ags. meist -*as* für -*e* wie im Nom. Pl. eingetreten.

β. Feminina.

Die femininen *i*-Stämme sind aisl. im Sg. in andere Klassen, besonders in die *ā*-Klasse, übergegangen (z. B. *tíd* „Zeit", *tíđar*, *tíđ*, *tíđ*) und haben auch nach dem Muster dieser den Akk. Pl. dem Nom. Pl. gleichgeformt (z. B. *tíđer*). In den übrigen Dialekten haben sie die meisten der von den *o*-Stämmen ausgehenden Neuerungen wegen ihres Genus nicht mitgemacht (nur got. im Gen. Pl. -*ē* von den maskulinen *i*-Stämmen entlehnt), bilden also as. und ahd. keinen Instr. Sing., behalten ags. den Nom.-Akk. Pl. auf -*e* und haben abweichende Formen für den Gen. und Dat. Sg. (Vok. got. nicht belegt.)

1) Im Gen. Sg. wurde -*oi̯-es* noch idg. zu -*ŏis* kontrahiert: lit. *naktēs* „der Nacht", got. *anstais* „der Gunst". Wg. ist der Dat. in den Gen. gedrungen: ags. *éste*, as. *ansti*, ahd. *ensti*.

2) Der Dat. Sg. wurde durch den Lok. ersetzt, der idg. durch Dehnung des stammesausl. -*ei̯* zu -*ēi̯* gebildet worden war: gr. πόλῃ, osk. *Fuutrei* „Genetrici", got. *anstai*, ags. *éste*, as. *ansti*, ahd. *ensti*.

γ. Neutra.

Im Germ. finden sich nur wg. Reste.

1) Im Nom.-Akk. Sg. stand idg. Schwundstufe -*i* ohne Endung: ai. *śuci* „rein", gr. ἴδρι „kundig", lat. *leve* aus *levi*, *mare* aus *mari* = ahd. *mari* „Meer", as. *hals-meni* „Halszierat", ags. *spere* (aus *speri*) „Speer".

2) Im Nom.-Akk. Pl. trat für die alte Bildung (wie noch ai. *trī* „drei") schon dialektisch idg. Angleichung

an die *o*-Deklination ein: gr. τρία, lat. *tria*, got. *þrija*, aisl. *þriú*, ags. *đréo*, as. *thriu*, ahd. *driu*. Ags. beim Substantiv *speru* nach den neutralen *o*-Stämmen (*grafa*, *grafum : spera, sperum = grafu : speru*).

f) *u*-Deklination.

a. Maskulina-und Feminina.

	Got.	Aisl.	Ags.	As.	Ahd.
Sg. Nom.	sunus „Sohn"	vǫttr „Handschuh"	sunu	sunu	sunu
Gen.	sunaus	vattar	suna	sunies	sunes
Dat.	sunau	vette	suna	suno	suniu
Akk.	sunu	vǫtt	sunu	sunu	sunu
Vok.	sunu, -au	vǫttr	sunu	sunu	sunu
Instr.					suniu
Pl. Nom.	sunjus	vetter	suna,-u	suni	suni
Gen.	suniwē	vatta	suna	sunio	suneo
Dat.	sunum	vǫttom	sunum	sunion	sunim
Akk.	sununs	vǫtto	suna,-u	suni	suni

Sg.

1) Der Nom. dieser eigentlichen *eu*-Klasse zeigte idg. Schwundstufe *-u-* + *-s*: ai. *sūnúš* „Sohn", lit *sūnùs*, got. *sunus*, aschw. Wik. *sunuʀ*. Aisl. *vǫttr* aus **vattuʀ*, noch als *vantus* in das Finnische entlehnt. Wg. ist *-u* nach langer Silbe geschwunden: got. *handus* „Hand", ags. *hond*, as. *hand*, ahd. *hant*.

2) Im Gen. wurde *-ou-es* noch idg. zu *-ōus* kontrahiert: ai. *sūnōš*, lit. *sūnaŭs*, got. *sunaus*, aisl. *-ar*, ags *-a*. As. ist die lautgesetzliche Form auf *-o* (*suno*) nur noch selten, ebenso ahd. die auf *-ō* (*fridoo* „des Friedens"); meist steht as. *-ies* nach den adjektivischen *u*-Stämmen, die germ. in den meisten Kasus in die *io*-Deklination übergetreten waren, ahd. dagegen *-es* nach den *i*-Stämmen, weil im Nom. Pl. das *-i* von *suni* mit dem von *gesti* zusammengefallen war.

3) Der germ. Dat. ist ein idg. Lokativ mit dehn-
stufigem -$\bar{e}u$ ohne Endung: ai. *sūnāu.* Daher got. -*au,*
urn. -*iu* (*magiu* „dem Sohne"), woraus aisl. -*i*, -*e*, das
Umlaut wirkt; auch im ältesten Ahd. noch *suniu,* wofür
gewöhnlich *sune* nach der *i*-Deklination wegen Nom. Pl.
suni. Auf anglofries.-niederd. Gebiet wurde -$\bar{e}u$ unter
Einfluß des genetivischen -$\bar{o}us$ zu -$\bar{o}u$ umgestaltet, das
über -*au* und -$\bar{o}$ ags. in -*a*, as. in -*o* überging; daneben
as. *sunie* nach Gen. *sunies*, *suni* nach der *i*-Deklination
(vgl. *hugi*).

4) Der idg. Akk. endete auf -*u-m*: ai. *sūnúm,* got.
sunu usw. Wg. schwand auch -*u*[n] nach langer Silbe:
ags. *hond,* as. *hand,* ahd. *hant.*

5) Der idg. Vok. zeigte endungslose *o*-Stufe wie in
ai. *sūnô̆,* lit. *sūnaũ* oder Schwundstufe wie in gr. πῆχυ:
beide Formen, *sunau* und *sunu*, sind got., nur letztere wg.

6) Ahd. Instr. *suniu* zu *suni* nach *gastiu* zu *gasti*
(*gèsti*).

Pl.

1) Der idg. Nom. endete auf -*éu-es*: ai. *sūnávas,*
gr. πήχεες (aus *πήχεϝες). Daraus germ. -*iuiz*, dessen
zweites *i*, weil in dritter Silbe, schon urg. ausfiel, wodurch *u* vor *z* vokalisch wurde. Got. wurde dann *i* vor
u konsonantisch: *sunjus.* Nord.-wg. schwand *u* von
*suniuz in dritter Silbe: daher aschw. Wik. -*iR* (*suniR*).
aisl. -*er*, as., ahd. -*i*. Ags. -*a* geht wohl auf -*auz* aus
idg. ablautendem -*ou-es* zurück; ags. -*u* stammt aus
dem Akk.

2) Im Gen. konnte idg. Schwundstufe (-*u-ōm*) wie
in gr. δούρων (aus *δορϝων) und *e*-Stufe (-*éu-ōm*) wie
in gr. πήχεων (aus *πήχεϝων) stehen. Germ. hielt sich
nur die letztere; doch trat für got. **suniwō* nach den

o-Stämmen *suniwē* ein; nord.-wg. nahm der Gen. überall wegen des Nom. Pl. die Form der *i*-Stämme an.

3) Dem lit. Instr. *sunumis* entspricht got., ags. *sunum*, aisl. *vǫttom*. Ahd. *sunim* nach den *i*-Stämmen wegen des Nom. Pl.; daher auch as. *sunion* (aus *suniun) unter Mitwirkung der adjektivischen *u*-Stämme (vgl. Gen. Sg.).

4) Der idg. Akk. endet auf *-u-ns*: kret. *υἱύνς*, got. *-uns*, aisl. *-o*, ags. *-u*: auch vereinzelt ahd. *situ* „Sitten". Ags. *-a*, as., ahd. *-i* aus dem Nom.

β. Neutra.

Der idg. Nom.-Akk. Sg. zeigt Schwundstufe *-u-* ohne Endung: ai. *pášu* „Vieh", lat. *pecu*, got. *faíhu*, as. *feho*, ahd. *fihu*. (Pl. kommt germ. nicht vor.)

B. Konsonantische Deklination.
a) Wurzelstämme.
α) Feminina.

	Got.	Aisl.	Ags.	As.	Ahd.
Sg. Nom.	baúrgs „Burg"	mǫrk „Mark	burʒ	burg	burg
Gen.	baúrgs	merkr(Gewicht)"	byrʒ	burges	burg
Dat.	baúrg	mǫrk	byrʒ	burg	burg
Akk.	baúrg	mǫrk	burʒ	burg	burg
Pl. Nom.	baúrgs	merkr	byrʒ	burgi	burg
Gen.	baúrgē	marka	burʒa	burgo	burgo
Dat.	baúrgim	mǫrkom	burʒum	burgun	burgum
Akk.	baúrgs	merkr	byrʒ	burgi	burg

Sg.

1) Der Nom. wurde idg. auf *-s* gebildet: gr. *νύξ*, lat. *nox*. Germ. wurde nominativisches *-s* stets durch *-z*, das in zweisilbigen wurzelbetonten Nominativen entstanden war, verdrängt. Da ags. so der Nom. dem Akk. bei langer Wurzelsilbe gleich geworden war, so

drang auch bei kurzer von dort -*u* in den Nom., z. B. *hnutu* „Nuß“. Aisl. *mǫrk* aus dem Akk. wegen Gleichheit beider Kasus in der *ā*-Klasse.

2) Die idg. Endung des Gen. war -*és*, ablautend -*ós*: gr. *νυκτός* (lat. *noctis* aus -*es*). Germ. wurde noch vor Eintritt des Vernerschen Gesetzes der Ton zurückgezogen: daher -*es* zu -*iz*, also got. *baúrgs*, aisl. *merkr*, ags. *byrʒ*, ahd. *burg*. As. *burges* beruht auf Angleichung an die maskulinen Wurzelstämme. Ags. trat bei kurzer Wurzelsilbe Angleichung an die *ā*-Klasse ein: *hnute* (wegen Nom. *hnutu* wie *ʒiefu*).

3) Der germ. Dat. ist ein idg. Lok. auf *i*: ai. *vācí* „in der Stimme“, gr. *νυκτί*; daher got. *baúrg*, ags. *byrʒ*, as., ahd. *burg*; wg. ist -*i* nach kurzer Silbe als ags. -*e* noch erhalten: *hnyte*. Aisl. *mǫrk* nach *ā*-Klasse wegen Nom.-Akk.

4) Der idg. Akk. hatte -*m̥*: gr. *νύκτα*, lat. *noctem*. Hieraus germ. -*um*, weiter -*u^n*, das wg. als -*u* nach kurzer Silbe noch ags. z. B. in *hnutu* erhalten, nach langer geschwunden ist. Aisl. *mǫrk* aus *marku. Got. *baúrg* zu *anst* nach Nom. *baúrgs* zu *ansts*.

Pl.

1) Der Nom. erhielt idg. -*es*: gr. *νύκτες*. Daraus germ. -*iz*: got. *baúrgs*, aisl. *merkr*, ags. *byrʒ*, ahd. *burg*; wg. ist -*i* wieder als ags. -*e* nach kurzer Silbe erhalten: *hnyte*. As *burgi* zu *burg* nach *ansti* zu *anst*; doch *naht* „Nächte“ noch lautgesetzlich.

2) Der Gen. erhielt idg. -*õm*: *νυκτῶν*. Daher germ. wie bei den *o*-Stämmen; got. ist -*ē* von dort nur übernommen.

3) Im idg. Instr. wurde -*mis* nach Konsonanten zu -*əmis*; daher im germ. Dat. -*um*; got *baúrgim* zu *anstim* nach *baúrgē* zu *anstē*.

4) Der Akk. hatte idg. -*n̥s*: *νύκτας*. Urg. wurde er nach Muster der *ā*-Stämme dem Nom. gleichgemacht.

β. Maskulina.

Da die Zahl der M. sehr gering war, so sind hier häufiger als bei den F., von denen sie idg. nirgends abwichen, Analogiebildungen nach anderen Klassen, erfolgt. So lautet zu got. *reiks* „Herrscher" der Dat. Sg. noch *reik*, aber der Gen. schon *reikis*, entsprechend zu ags. *fót* „Fuß" der Dat. *fét*, der Gen. *fótes*. Aisl. ist hier überall Übergang in andere Deklinationen, meist in die *u*-Klasse eingetreten (also *fótr, fótar, fœte, fót*); nur der Nom.-Akk. Pl. (*fœtr*) läßt hier noch die konsonantische Deklination erkennen.

γ. Neutra.

Vom N. gibt es nur Reste im Ags.

1) Der Nom.-Akk. Sg. war idg. endungslos: ai. *hŕd* „Herz", lat. *cor*. Wie in letzterem Worte ausl. *d* abgefallen ist (Gen. *cordis*), so *þ* in ags. *ealu* „Bier", Gen.-Dat. *ealoð*; *d* ist nach den anderen Kasus wiederhergestellt in *scrúd* „Gewand".

2) Der Nom.-Akk. Pl. erhielt idg. *ə*; ai. *bháranti*, gr. φέροντα. Daher ags. *scrúd* (dagegen Dat. Sg. *scrýd* aus *scrūdi*).

b) *n*-Stämme (schwache Deklination).

α. Maskulina.

		Got.	Aisl.	Ags.	As.	Ahd.
Sg.	Nom.	hana „Hahn"	hane	hona	hano	hano
	Gen.	banins			hanen	hanen
	Dat.	hanin	hana	honan	(hanon)	(hanin)
	Akk.	hanan			hanon	hanon, -un
Pl.	Nom.	hanans	hanar	honan	hanon	hanon, -un
	Gen.	hananē	hana	hónena	hanono	hanōno
	Dat.	hanam	hǫnom	honum	hanon	hanōm
	Akk.	hanans	hana	honan	hanon	hanon, -un

Im Nom. Sg. erschien idg. der Stamm endungslos, aber
mit Dehnstufe; neben *-ōn* (gr. *ἄκμων*) und *-ēn* (gr.
ποιμήν) lag aber auch *-õ* (lit. *akmũ*; *u* aus idg. *ō*). Dem
Wg. liegt *-õ*, dem Aisl. *-ēn* zugrunde; auch für urn.
Wiwila, Hạrirnạ usw. ist *-aⁿ* mit *e*-Färbung anzunehmen.
Got. *hana* ist zum Akk. *hanan* nach den femininen
n-Stämmen, wo Nom. *tuggō* neben Akk. *tuggōn* lag, geschaffen worden: die Umbildung ging vom schwachen
Adjektivum aus, wo Akk. *blindōn* F. zu *blindan* war.

Die übrigen Kasus haben hier wie bei allen folgenden Klassen dieselben Endungen wie die Wurzelstämme;
das *-i* des Dat. Sg. mußte in dritter Silbe früh spurlos
schwinden.

Von den Gestalten des stammbildenden Suffixes
stand idg. *-en* (germ. *-in*) im Gen. und Dat. Sg., idg.
-on (germ. *-an*) oder *-ṇ* (germ. *-un* über *-on*) im Akk. Sg. und
Nom. Pl.: so noch in zwei niemals benachbarten Ge-
bieten, dem Got. und Ahd. Im Nord. und dem benachbarten Ags. ist *-an* auch in den Gen. und Dat. eingedrungen, sodann aisl. *-n* nach nichthaupttonigem Vokal
(wie in *bera* „tragen" = got. *baíran*) abgefallen. Im Ahd.
sind *-in* und *-un* aobd., *-en* und *-on* amd.; letztere Fär-
bungen stimmen zum benachbarten As. Im Amd.-As.
muß einmal neben *-in* im Gen.-Dat. Sg. und *-un* im Akk.
Sg. und Nom. Pl. wie im südlich benachbarten Aobd. ein
-an in allen diesen Kasus wie im einst nördlich benachbarten Ags. gelegen und Mischung von *a* und *i* im Gen.-
Dat. Sg. das mittlere *e*, von *a* und *u* im Akk. Sg. und
Nom. Pl. das mittlere *o* erzeugt haben (vgl. S. 75); nur
konnte as. das *-on* wie ags. das *-an* auch noch in den
Gen.-Dat. Sg. eindringen.

Der Gen. Pl. hatte idg. Schwundstufe: ai. *rā́jnām*
„der Könige". So germ. noch in einigen Wörtern:

got. *aúhsnē* „der Ochsen", aisl. *yxna*, *øxna* (für laut-
gesetzliches *oxna*), ags. *oxna*. Got. ist in *-anē a* aus
dem Nom. Pl. eingedrungen, wg. der Ausgang der femininen *n*-Stämme ·herrschend geworden.

Der Instr. Pl. endete idg. auf *-n-mis*, woraus germ.
-on-mis, *-un-mis*, *-ummiz*, *-umm*, *-um*: daher aisl. *-om*,
ags. *-um*. Ahd. *-ōm* nach Gen. *-ōno*, as. *-on* nach *-ono*.
Das *a* von got. *-am* stammt aus dem Nom. Pl.

Der Akk. Pl. erhielt auch hier germ. die Form des
Nom Pl. Aisl. mußte **hanan* zu *hana* werden, das wie
ein Akk. Pl. der *o*-Deklination (*arma*) aussah und deshalb, zumal auch *honom* und *ormom* parallel gingen,
einen Nom. Pl. *hanar* und Gen. Pl. *hana* erzeugte.

β. Feminina.

		Got.	Aisl.	Ags.	As.	Ahd.
Sg.	Nom.	tuggō „Zunge"	tunga	tunʒe	tunga	zunga
	Gen.	tuggōńs				
	Dat	tuggōn	} tungo	} tunʒan	} tungun	} zungūn
	Akk.	tuggōn				
Pl.	Nom.	tuggōns	tungor	tunʒan	tungun	zungūn
	Gen.	tuggōnō	tungna	tunʒena	tungono	zungōnō
	Dat.	tuggōm	tungom	tunʒum	tungon	zungōm
	Akk.	tuggōns	tungor	tunʒan	tungun	zungūn

Der Nom. Sg. geht auf idg. *-ōn* (gr. ἀηδών) zurück.
Das aisl. *-o* im Gen.-Dat.-Akk. Sg. beruht auf *-on* (wie
-a der M. aus *-an*); im Nom. Pl. wurde demselben *-o*
das sonst allgemein in diesem Kasus auftretende *-r* angefügt; dann erhielt der Akk. Pl. wie bei allen F. die
Form des Nom. Pl.

Got. wurde *-ō-* wie in lat: *rātiō* analogisch durch
alle Kasus geführt, ahd. (und wahrscheinlich auch as.,
in welchem Dialekte nirgends Quantitätszeichen überliefert
sind) unter Mitwirkung der *ā*-Deklination wenigstens im
Gen. und Dat. Pl.

Aisl. war die Schwundstufe -un, woraus -on, -o (wie beim M. -an, -a) vom Akk. auch in den Gen. und Dat. Sg. gedrungen, entsprechend ags. -an. Ahd. und as. breitete sich -un in gleicher Weise aus, vermischte sich aber ahd. (vielleicht auch as.) mit dem gleichfalls sein Gebiet erweiternden -ōn zu -ūn, dessen ū Färbung des u und Länge des ō vereinigt.

Eine Abzweigung der F. auf -ōn sind die auf -īn, das eigentlich Schwundstufe zu -i̯ōn, -i̯ēn ist: bei diesen ist das ī (wie in gr- δελφίς, δελφῖνος) durch alle Kasus geführt. Es sind hauptsächlich Adjektivabstrakta wie got. hauhei „Höhe" zu hauhs „hoch". Die got. Flexion ist der von tuggō parallel: hauhei, hauheins, hauhein usw. Der Zusammenfall einzelner Kasus wurde außergotisch noch dadurch vermehrt, daß aisl. ausl. -n nach nichthaupttonigem Vokal, wg. nach nichthaupttonigem -ī wegfiel. Daher ahd. im ganzen Sg. und im Nom.-Akk. Pl. hōhī (Gen. Pl. hōhino, Dat. hōhīm). Da diese Wörter aisl. keinen Pl. bilden, so erscheinen sie dort mit ihrem -e aus -ī (z. B. elle „Alter") ganz indeklinabel. Ags. hat dies -e des Gen., Dat. und Akk. Sg. die Bildung des Nom. Sg. nach der ā-Klasse auf -u (z. B. ieldu „Alter") veranlaßt, das dann, als -e hier noch neben ihm stand, seinerseits neben dem -e der übrigen Singularkasus auch ein -u hervorrief. Im Nom. haben sich dann aber nur die Formen auf -u erhalten; erkennbar aber ist der Ursprung der Klasse stets noch am i-Umlaut.

γ. Neutra.

1) Für den germ. Nom.-Akk. Sg. ist wie für den Nom. F. von idg. -ōn auszugehen: got. augō „Auge", aisl. auga, ags. éaʒe, as. ōga, ahd. ouga.

2) Der Nom.-Akk. Pl. fügte idg. -ā (woraus germ. -ō)

entweder an -*ón* (daher· got. *augōna*, ags. *éaȝan*) oder an
-*ən* (daher aisl. *augo*, ʼas. *ōgon*, -*un*, ahd. *ougun*).

c) Verwandtschaftsnamen auf -*r*.

Die Verwandtschaftsnamen auf ·*r* umfassen M. wie got.
fadar „Vater“, aisl. *fuder*, ags. *fœder*, as. *fader*, ahd.· *futer*
und F. wie got. *swistar* „Schwester“, aisl. *syster*, ags. *sweostor*,
as., ahd. *swesler*.

Der Nom.· Sg. hatte idg. statt der Kasusendung Dehnung
des Vokals vor -*r*: gr̆ *πα-τήρ*, *φρᾱ-τωρ*. Germ. ist der Vokal
wieder gekürzt worden.

Der Gegensatz zwischen starken Kasus, bei denen idg.
Wurzel oder stammbildendes Suffix, und schwachen, bei denen
die Kasusendung betont wurde, zeigt sich noch zwischen got.
Akk. Sg. *fadar* aus idg. *pətér-ṃ, gr. *πατέρα* und Gen. Sg.
fadrs, gr. *πατρός*, Dat. Sg. *fadr*, gr· *πατρί*. Auch der Akk.
Pl. konnte idg. ein schwacher Kasus sein: so geht lat. *patrēs*
über *putrens auf **patr-n̥s* zurück, dem got. *fadruns* entspricht, wozu (nach *sununs* zu *sunjus*) im Nom. Pl. *fadrjus*
gebildet wurde. Nord. haben sich die schwachen Formen auch
auf den Nom. Pl. ausgedehnt, so im aisl. *fedr* aus *faðr-iz
gegenüber ai. *pitáras*, gr. *πατέρες* und urn. *dohtriʀ* „Töchter“
wie homer. *ϑύγατρες* gegenüber att. *ϑυγατέρες* Dagegen ist
wg. bei den meisten Verwandtschaftsnamen nicht nur -*er*- im
Nom. Pl. (dessen Form auch· der Akk· Pl. übernommen hat)
erhalten, sondern auch im Gen. und Dat. Sg. wiederhergestellt
worden, so daß z. B· ahd. *muoter* „Mutter“ bis auf den Gen.
Pl. *muotero* und Dat·· Pl. *muoterum* indeklinabel erscheint.

d) Partizipialstämme auf idg. -*nt*.

Von den Partizipien· Präs. auf idg. -*nt* (vgl. lat. *amant-is*
gr. *λύοντ-ος*), germ. -*nd* sind einige wie got. *frijōnds* „Freund“,
eigentl. „der Liebende“, ags. *fréond*, as. *friund*, ahd. *friunt*
zu maskulinen Substantiven geworden und haben daher, als
diese Partizipien in andere Klassen übertraten, den Übergang
nicht mitgemacht; doch ist aisl., wo sich die Partizipien der *n*-
Deklination anschlossen, wenigstens· der Sg. der Partizipial-
substantiva mitübergegangen, so daß z. B. neben got. *gibands*
„Geber“ aisl. *gefande*, Gen. *gefanda* steht. Auch haben diese
Substantiva in den übrigen Dialekten in einzelnen Kasus
Endungen der *o*-Deklination angenommen, so schon got.-wg.

im Gen. Sg.: got. *frijōndis*, ags. *fréondes*, as. *friundes*, ahd. *friuntes*. Überall konsonantische Flexion zeigt dagegen noch der Nom. Pl.: got. *frijōnds*, ags. *friend*, as. *friund*, ahd. *friunt*, aisl. *gefendr*.

e) *es*-Stämme.

Größtenteils durch die *o*-Deklination verdrängt ist germ. die konsonantische der N. auf *-es*, *-os* (vgl. gr. γένος, γένεος aus *γένεσ-ος, lat. *genus*, *generis* aus *genes-is*). Ein Rest der alten Flexion ist noch got. *hatis* „des Hasses" neben *hatizis* von *hatis* und die ags. endungslosen Dat. von Wörtern auf *-or* wie *dóʒor* „dem Tage" neben *dóʒore*; das *-or* geht über *-uz-* auf die Schwundstufe *-ǝs-* zurück. Wg. fiel im Nom. Sg. *-az* aus idg. *-os* fort: bei einigen Wörtern wie *lamb* „Lamm" aus *lambaz* wurde dann der Nom.-Akk. Sg. als *o*-Stamm durch den ganzen Sg. durchgeführt, während im Pl. die alte Flexion blieb: ahd. *lamb*, *lambes*, *lambe*; *lėmbir*, *l'mbiro*, *lėmbirum*. Ebenso flecktiert ags. *lomb*, nur mit der Abweichung, daß es im Pl. statt der *e*-Stufe die Schwundstufe durchführt und im Nom.-Akk. Pl. *-u* von den kurzstämmigen N. der *o*-Deklination her anfügt: *lombru*, *lombra*, *lombrum*.

2. Pronomen.

A. Personalpronomina.

Das Idg. unterschied beim Personalpronomen keine Genera: auch wich hier die Deklination völlig von der substantivischen ab. Zum Personalpronomen gehört auch das Reflexivum, dessen Singularkasus auch für Du. und Pl. gelten. Der Du. des Personale ist auch germ. erhalten.

a. Erste Person.

Sg.

1) Nom. Ai. *ah-ám*, gr. ἐγ-ών, lat. *eg-o*: dazu urn. (enklitisch) *-k-a* in *heitika* „heiße ich". — Lett. *es*, preuß. *es* aus idg. *eǵ*, woraus got. *ik*, sonst betont *ek*, unbetont *ik*; doch gebraucht das As. *ec* und *ic* unterschiedslos, das Aisl. nur noch *ek*, das Ags. *ic*, das Ahd. *ih*.

2) Gen. Got. *meina*, aisl., ags. *mín*, as., ahd. *mīn* ist aus einer nicht näher deutbaren Form des Possessivs got. *meins* usw. entstanden.

3) Dat. An idg. **me* „mich" ist germ. *-s* getreten: aus **mes* „mir" entstand unbetont **miz*, das aber auch auf betonte Stellung übertragen wurde: daher got. *mis*, urn. *meʀ*, aisl *mér*. So drang auch wg. zunächst **miz* allgemein durch, verlor aber dann sein *-z* in unbetonter Stellung; ags. wurde dann unbetontes *me*, as. unbetontes **mi*, ahd. betontes *mir* verallgemeinert. Doch wurde ags. *me* unter dem Tone wieder zu *mé* gedehnt, ebenso as. **mi* zu *mī*, das dann wieder auch auf unbetonte Stellung übertragen wurde (daneben *mē* aus dem Ags).

4) Akk. Idg. **me* (gr. *με*, *ἐμέ*), das durch *-ge* wie in gr. *ἐμέγε* verstärkt werden konnte. Urg. **mek*, woraus got. stets *mik*, wurde betont ags. als *mec*, unbetont aisl. und as. als *mik*, ahd. als *mih* verallgemeinert. Ags. hat auch der. Dat. *mé* Akkusativfunktion erhalten, die er natürlich auch bei seiner Entlehnung in das As. bewahrte, wo er dann die Veranlassung wurde, daß der dort ursprüuglich heimische Dat. *mī* gleichfalls Akkusativfunktion mitübernahm.

Pl.

1) Nom. Das aus ai. *vay·ám* „wir" neben *ah-ám* „ich" zu erschließende idg. **u̯ei̯* wurde germ. mit dem Pluralzeichen *-s* versehen: got. *weis*, aschw. Wik. *wiʀ*, as. *wi*, ahd. *wir*. Aisl. *vér*, ags. *we*, *wē*, as. *wē* (mit *ē²*) beruhen wahrscheinlich auf **uēi-s*. Das Verhältnis der Formen mit und ohne *r* zueinander ist wie im. Dat. Sg.

2) Gen. Got. *unsara*, ags., as. *ūser*, ahd. *unsēr*, aisl. *vár* sind Formen des Possessivs got. *unsar*, ags., as. *ūser*, ahd. *unsēr*, aisl. *várr*. Die Possessiva des Pl. sind mit dem idg. Komparativsuffix- *ero-* vom Dat.-Akk. *uns* „uns" gebildet wie lat. *noster* mit dem Komparativsuffix *-tero-* von *nōs*; nur aisl. *vár-r* setzt statt des *uns* ein **u̯ē* voraus, das in abg. *vē* „wir beide" wiederkehrt. Das *ē* vom ahd. *unsēr* beruht auf Neuanlehnung an den N. Sg. M. des Possessivs *unsēr*, das selbst sein *ē* von der gleichen Form des Adjektivs z. B. in *blintēr man* „blinder Mann" bezogen hat.

3) Dat. Got., ahd. *uns*, dem aisl. *oss*, ags. *ús*, as. *ūs* entsprechen, beruht auf idg. **ṇs* (in ai. *as-mán* „uns", Akk.)

und ist Schwundstufe von idg. *nes (ai. *nas*, Akk., Dat. und Gen.). Got. *unsis* neben *uns* ist an *mis* angelehnt.

4) Akk. Dieselbe Form wie Dat.: got. *uns*, aisl. *oss*, ags. *ús*, as. *ūs*. Ahd. *unsih* ist an *mih*, ags. *úsic* neben *ús* an *mic* (neben *mec*) angelehnt. Da im Dat. got. *unsis* neben *uns* lag, erhielt auch ersteres Akkusativfunktion.

Du.

1) Nom. Got. *wit* aus *wet* noch in anorw. *vet*; aus unbetontem *wet* auch ags., as. *wit*, aisl. *vit*. Urg. *u̯et*, idg. *u̯e-d* hängt mit lit. *vè*, *vēdu* „wir beide‟ zusammen, weiter auch mit got. *weis* usw.

2) Gen. Got. *ugkara*, aisl. *okkar*, ags. *uncer* ist dieselbe Form des Possessivs wie got. *meina* usw; in as. *uncero* liegt Angleichung an den Gen Pl. *bēthero* „beider‟ vor. Das Possessiv got. *ugkar* usw. ist eine Parallelbildung zu *unsar*.

3) Dat. Die ursprüngliche Form ist ags., as. *unc* aus idg. *n̥-ge* mit demselben *-ge* wie in gr. ἐμέγε, got. *mik*; die Dehnstufe zur Schwundstufe *n̥* enthält gr. νώ, ai. *n̥āu* (Akk., Dat., Gen.); in ai. *nas*, got. *uns* ist an dasselbe *n̥* pluralisches -*s* getreten. Gotonord. hat hier Anlehnung an den Dat. Sg. stattgefunden: got. *ugkis*, aisl. *okkr*.

4) Akk. Ags., as. nur wie Dat., daneben ags. *uncit* an Nom. *wit* angeglichen. Gotonord. wurde der Dat. auch auf den Akk. übertragen: also got. *ugkis*, aisl. *okkr* auch hier, doch got. *ugk* noch daneben.

b. Zweite Person.

Soweit Bildungsweise und Umgestaltungen bei der 2. wie bei der 1. Person sind, werden sie nicht weiter erörtert.

Sg.

1) Nom. Ai. *tú*, lat. *tu*: got. *þu*, aisl. *þú*, ags. *dú*, as. *thū*, ahd. *dū*, *du*.

2) Gen. Got. *þeina*, aisl. *þín*, a s. *dín*, as. *thīn*, ahd. *dīn*.

3) Dat. Aisl. *þér*, ags. *dé*, as.*gthī*, ahd. *dir*. Got. *þus* nach *þu*.

4) Akk. Aisl. *þik*, ags. *dec*, *dé*, as. *thic*, *thī*, ahd. *dih*. Got. *þuk* nach *þu*.

Pl.

1) Nom. An *i̯ū (vgl. ai. yū-yám) konnte idg. pluralisches
-s treten: abktr. yūṣ, lit. jū́s, got. jūs. Nord.-wg. hat Anlehnung an den Vokal der 1. Person stattgefunden: aisl. ér
(aus *jēr), ags. ʒē, aš gī, gē; in ahd. ir ist das j in Anlehnung
an die übrigen Kasus aufgegeben.

2) Gen. Got. izwara, aisl. yđuar, ags. éoṷer, as. euwar,
iuwer, ahd. iuwēr.

3) Dat. Die wg. Formen sind aus dem idg. Dat.-Akk. *u̯es
(ai. vas) mit davorgetr+tener Partikel *e (vgl. gr. ἐ-κεῖ, lat.
i-ste) entstanden: ags. éoṷ, as. eu, iu, iuu, ahd. iu. Daneben
lag idg. *su̯es (in air. si, kymr. chwi), vor das gotonord.
gleichfalls e trat: got. izwis. Urn. wurde *izwiz zu *iʀwiʀ,
dies durch Dissimilation der beiden R zu *iđwiʀ, woraus aisl.
yđr.

4) Akk. Wie Dat., nur ahd. iuwih, ags. auch éoṷic.

Du.

1) Nom. Auf *i̯u, das in ai. yuv-ám, lit. jū-du steckt,
beruht germ. *jut; die Form ist got. nicht belegt. Nord.-wg.
fand Angleichung an wit statt: aisl. it, ags. ʒit, as. git.

2) Gen. Got. igqara, aisl. ykkar, ags. incer (as. nicht
belegt).

3) Dat. Got. igqis, aisl. ykkr, ags., as. inc, Ursprung
unbekannt.

4) Akk. Wie Dat.; nur ags. auch incit nach ʒit.

c. Reflexivum.

Die Kasus des Reflexivs werden von einem Stamme *se
(vgl. lat. sē) wie die Singularkasus der eigentlichen Personalpronomina gebildet. Also Gen. got. seina, aisl. sín, ahd. sīn,
Dat. got. sis, aisl. sér, Akk. got., aisl. sik, ahd. sih. Dem
Ahd. fehlt der Dat., dem As. und Ags. das ganze Reflexiv.

B. Geschlechtige Pronomina.

a. Die Stämme.

a. Demonstrativa.

5) Idg. ergänzten sich die beiden Stämme *so und *to in
der Art, daß von ersterem der N. Sg. M. und F., von letzterem

alle übrigen Formen gebildet wurden. Daher ai. *sá*, gr. *ó*, got. *sa* „dieser“, ai. *sā́*, gr. *ἡ* (dor. *ᾱ́*), got. *sō* „diese“, aber ai. *tád*, gr. *τό*, got. *þata* „dies“.

2) Für **so*, **sā* konnte idg. auch **si̯o*, **si̯ā*, für **to-*, **tā-* auch **ti̯o-*, **ti̯ā* stehen: ai. Nom. M. *syá*, F. *syā́*, N. *tyád*, ahd. Nom. Sg. F. *siu* „sie“, Nom.-Akk. Pl. N. *diu*.

3) Idg. **kho-* steckt in lat. *hī-c*, *hae-c*, *hōc*, ags. *he*, *hé* „er“, as. *hē*, amd. *her*.

4) Idg. **ei̯-* (schwundstufig **i-*) war das anaphorische Pronomen „er, derselbe“, daher lat. *is*, got. *is*, ahd. *er*; lat. *ea*, got. *ija* (nur Akk.); lat. *id*, got. *ita*, as. *it*, ahd. *iz*.

β. Interrogativa und Indefinita.

1) Idg. **kᵛo-*, **kᵛā-*: Nom. Sg. M. ai. *kás*, lit. *kàs*, got. *hᵛas*, ags. *hwa*, *hwá*, as. *hwē*, ahd. *hwer*, F. ai. *kā́*, got. *hᵛō*, N. lat. *quod*, got. *hᵛa*, aisl. *huat*, ags. *hwæt*, as. *hwat*, ahd. *hwaz*.

2) Idg. **kᵛi-*, gr. *τίς*, *τί*, lat. *quis*, *quid*; in got. *hᵛi-leiks* „wie beschaffen“, dem ags. *hwilc* „welcher“, as. *hwilic* entspricht; doch ahd. *hwalīh* „welcher“, zu **kᵛo-*.

b. Deklination.

Paradigma der Stämme *so*, *to*, (*si̯o*, *ti̯o*).

a. Maskulinum.

		Got.	Aisl.	Ags.	As.			Ahd.
Sg.	Nom.	sa	sá	sé, se	se, thē	thie		der
	Gen.	þis	þess	đæs	thes			des
	Dat.	þamma	þeim	đǽm	themu			demu, demo
	Akk.	þana	þann	đone	thena, thana, then			den
	Instr.			đ́	thiu			
Pl.	Nom.	þai	þeir	đá	thē, thea			dē, die
	Gen.	þizē	þeira	đára	thero			dero
	Dat.	þaim	þeim	đǽm	thēn			dēm
	Akk.	þans	þá	đá	thē, thea			dē, die

Sg.

1) Nom. Idg. **so* enthielt entweder gar keine Endung wie in ai. *sá*, gr. *ó*, got. *sa*, aisl. *sá*, oder *-i* wie lit. *tasaĩ* aus **tas-saĩ* (analog alat. *qo-i*, woraus *quì*), got. *sai* (nur noch „siehe da“) ags. *se* (durch Kontraktion in unbetonter

Stellung), *sé* (durch Dehnung von *se* wieder in betonter Stellung), as. *se*, daneben *thē* mit *th* nach den übrigen Kasus, woraus *thie*. Die Nom. der übrigen Pron. erhielten *s*: lat. *is*, got. *is*, ahd. *er*. Auf verschiedener Ausgleichung der verschieden betonten Formen beruhen die Unterschiede von amd. *her* „er" und as. *hē*, ahd. *hwer* „wer" und as. *hwē*. Das *r* von ahd. *er, her, hwer* wurde auch auf *thē* übertragen: aus unbetontem *thēr* entstand *der*.

2) Gen. Idg. mit Endung *-so* (vgl. *o*-Stämme): *te-so*.

3) Dat. Der ausl. Vokal des dem got. *þamma* parallelen *hvamma* „wem" ist inl. vor angetretenem *h* erhalten in *hvammēh* „jedem": danach war der Kasus ein Instr. (vgl. S. 75); neben *-ē* liegt ablautendes *-ō*, woraus wg. *-u* in as. *themu*, ahd. *demu*, deren *e* wieder zu *a* (idg. *o*) in *þamma* ablautet. Das *mm*, das as., ahd. unbetont zu *m* gekürzt wurde, ist aus idg. *sm* entstanden, wie es im ai. Dat. *tás-māi* und Abl. *tá-smād* vorliegt: letzterem entspricht ahd. *demo* mit *-o* aus *-ō*. Aisl. *þeim*, ags. *đǽm* gleichen dem abg. Instr. *tēmĭ* (idg. *toi-mi*).

4) Akk. Idg. *tó-m* nach nominaler Art: ai. *tám*, gr. *τόν*, lat. *is-tum*, aisl. *þann*; in as. *then*, ahd. *den* beruht *e* auf Einfluß der übrigen Kasus. An die Form kann auch noch eine Partikel *-ō* treten: got. *þana*, ags. *đone* (*-e* aus *-æ* aus *-a* wie im Gen. ʒ*iefe*, vgl. S. 78), as. *thana* aus *þanō*, wie got. *hvana* „wen" aus *hvanō* (noch in *hvanōh* „jeden").

5) Instr. Ags. *đў*, dem beim Interrogativ *hwý, hwí* entspricht, geht über *þī* auf den nominal gebildeten idg. Lok. *te-i* (vgl. gr. *τεῖ-δε*) zurück. Ein echter nominal gebildeter Instr. vom Stamme *tịo-* ist as. *thiu*.

Pl.

Die *o*-Stämme bilden ihren Pl. von einem Stamm auf *-oi*

.1) Nom. Idg. ohne Endung: gr. *τοί*, lat *is-tī*, ai. *tḗ*,
got. *þai* usw.; in aisl. *þeir* ist pluralisches -*r* aus -*z* aus
-*s* angefügt.

2) Gen. Idg. **toi-sõm*: ai. *tḗṣā́m*, preuß. *s-teison*
abg. *tēchŭ*, aisl. *þeira*, ags. *đára*. Got. *þizē*, as. *thero*,
ahd. *dero* haben *e* (got. *i*) vom Gen. Sg.

3) Dat. Idg. Instr. **toi-mis*: abg. *tēmĭ*, ags. *đǽm*
(mit *i*-Umlaut) usw.

4) Akk. Idg. nominal vom *o*-Stamm: kret. *τόνς*, got.
þans usw.

β. Femininum.

		Got.	Aisl.	Ags.	As.	Ahd.
Sg.	Nom.	sō	sú	séo	thiu	diu
	Gen	þizōs	þeirar	đǽre	thera	dera
	Dat.	þizai	þeire	đáre, đǽre	theru	deru
	Akk.	þō	þá	đá	thia	dea, dia
Pl.	Nom.	þōs	þǽr	đá	thē, thea	deo, dio
	Gen.	þizō	þeira	đára	thero	dero
	Dat.	þaim	þeim	đǽm	thēm	dēm
	Akk.	þōs	þǽr	đá	thē, thea	deo, dio

Sg.

1) Nom. Idg. **sā*: ai. *sa*, dor. *ā̊*, got. *sō*. Aisl. wurde
unbetontes *sō* zu **su* gekürzt, das auf die betonte Form
übertragen wieder zu *sú* gedehnt wurde. Daneben idg.
*siā, das unbetont wg. **siu* wurde, woraus ags. *séo*; as.
thiu, ahd. *diu* haben ihr *th* (*d*) von den übrigen Kasus.

2) Gen. Idg. **te-sās* (neben **te-siās*, ai. *tásyās*): got.
þizōs, as. *thera*, ahd. *dera*. Aisl. *þeirar*, ags. *đǽre* haben
germ. *ai* vom Gen. Pl. erhalten.

3) Dat. Idg. **te-sāi* (neben **te-siāi*, ai. *tásyāi*): got.
þizai. Aisl. *þeire*, ags. *đáre* haben ihr *ai* vom Gen. Sg.;
jüngeres ags. *đǽre* zeigt an diesen weitere Angleichung.
As. *theru*, ahd. *deru* haben ihr -*u* vom Nomen bezogen.

4). Akk. Wie alle Akk. idg. nominal gebildet: ai.
tā́m, gr. τᾱ́ν. Got. þō ist aus der betonten, aisl. þá, ags.
đá sind aus der unbetonten Form mit Dehnung in erneut
betonter Stellung hervorgegangen. As. thia, ahd. deá,
dia gehen auf unbetontes idg. *tii͡ām zurück.

Pl.

1) Nom.-Akk. Idg. nominal ai. tā́s, lit. tõs, got. þōs.
Nord. wurde unbetontes *þōs zu *þar, dies betont wieder
gedehnt þār (so noch ostnord.), wofür aisl. þǽr (ǽ aus
á vor ʀ). Dem þār entspricht ags. đá. Neben idg. *tãs
stand *tii͡ãs, woraus germ. *þiōʑ, woraus ahd. deo, dio,
wo sich in betonter Stellung im Gegensatze zu gebā, in
dem in unbetonter Silbe eine Art Verkürzung des -ō̃ zu
-ā vorliegt, die ungekürzte Form und damit auch die
ō-Färbung wie in ahd. zwō = got. twōs (F. zu twai
„zwei“) erhalten hatte. As. thē, thea sind aus dem M. eingedrungen, weil die übrigen Pluralkasus dem M. glichen.

2) Gen. und Dat. Wie beim M.; nur got. besteht der
analoge Unterschied wie beim Nomen in þiʑō gegenüber
þiʑē.

γ. Neutrum.

Aisl. hat der Dat. Sg. eine besondere Form. Der
Instr. Sg. ist hier in allen germ. Dialekten vorhanden:
1) Nom.-Akk. Sg. Idg. Endung -d: ai. tád, gr. τό
(aus *τόδ), lat. is-tud, aisl. þat, ags. đæt, as. that, ahd.
daʑ. In got. þata ist, wie ƕarjatōh „jedes“ lehrt, dasselbe *-ō wie in þana angefügt.
2) Dat. Sg. Aisl. þí ist formell Lok. wie der ags.
Instr. þý.
3) Instr. Sg. Got. þē, aisl. þué (nach Fragepronomen
ƕué) zeigen nominale Bildung und lauten ab mit *-ō̃

(as., ahd. *-u*) des Instr. Ags. *đŷ*, as. *thiu* gelten auch für das N., ahd. *diu* nur für dies.

4) Nom.-Akk. Pl. Nominale Bildung: got. *þō*. Vom Stamme *tịo-* as. *thiu*, ahd. *diu*. Ags. *đá* hat die Form des M.-F. angenommen. Aisl. *þau* ist eigentlich Nom.-Akk. M. Du. (ai. *tắu*).

3. Adjektivum.

A. Deklination.

Es gab idg. auch bei den Adjektiven vokalische und konsonantische Stämme, die wie Substantiva dekliniert wurden, wie das Lateinische und Griechische lehrt. Germ. sind die konsonantischen Adjektiva wie lat. *felix*, *-īcis*, gr. *πίων*, *-ονος* ausgestorben, so daß man hier nur *o-*, *i-* und *u-*Stämme unterscheidet. Die germ. Adjektiva werden nach neuer und zwar doppelter Weise flektiert, erstens pronominal (starke Deklination), zweitens als *n-*Stämme (schwache Deklination).

a. Starke Deklination.

Schon idg. hatten Adjektiva, die in ihrer Bedeutung den Pronomina nahe standen, auch Pronominalflexion angenommen, wie z. B. noch ai. *ányas* „anderer", *sárvas* „all" fast ganz wie Pronomina abgewandelt werden, und wie auch noch gr. *ἄλλος*, lat. *alius* das N. *ἄλλο*, *aliud* sowie lat. *alius*, *tōtus* die Gen. *alīus*, *totīus* und Dat. *alī̆*, *tōtī̆* wie *eius*, *eī* formen. Germ. ging die Pronominalflexion zunächst auf sämtliche adjektivische *o-*Stämme über, die wie die pronominalen *o-*Stämme dreigeschlechtig waren und ihr F. als *ā-*Stämme bildeten. Daher hat z. B. got. *blinds* „blind" im Dat. Sg. M. und N. *blindamma*, im Akk. Sg. M. *blindana*. In mehreren Kasus wie im Nom. Sg. M. (got. *blinds*) und Gen. Sg. M. und N. (got. *blindis*)

stimmte allerdings nominale und pronominale Flexion
idg. überein. Auch haben sich germ. noch einzelne
Formen aus der Nominaldeklination erhalten, so der Nom.-
Akk. Sg. N. got. *blind* neben *blindata*, ahd. *blint* neben
blintaz, ags., as. nur *blind*, wogegen aisl. nur *blint* (aus
*blind-t). Im Dat. Sg. steht aisl. im M. der pronominale
Instr. *blindum*, im N. der nominale *blindu*, während das
Got. und Wg. hier nur pronominal flektieren. Got. ist
auch der nominale Dat. Sg. F. *blindai* erhalten gegenüber
aisl. *blindri*, ags. *blindre*, as. *blindaro*, ahd. *blinteru*.

Die Kasus, die ein z (r) enthielten, haben sich urg.
in dem vor diesem stehenden Vokal wie beim Pronomen
einander angeglichen, wodurch zunächst Doppelformen
entstanden. Nach Trennung des Got. vom Nord-Wg.
fand dann die Ausgleichung in verschiedener Weise (und
z. T. auch abweichend vom Pron.) statt: so got. Gen. Sg.
F. *blindaizōs* nach Gen. Plur. F. *blindaizō*, dagegen aisl.
Gen. Pl. M. F. N. *blindra* nach Gen. Sg. F. *blindrar*, Dat.
Sg. F. *blindri* (*e* vor *r* lautgesetzlich geschwunden), entsprechend ags. *blindra* nach *blindre*, *blindre*, as. *blindaro*
nach *blindara*, *blindaro*, ahd. *blintero* nach *blintera*, *blinteru*.

Ahd. hat das Nebeneinander im Nom.-Akk. Sg. N. von
blint und *blintaz* neben *daz* eine erneute Anlehnung an das
Pronomen veranlaßt, indem auch im Nom. Sg. M. neben *blint*
ein *blintēr* nach *thēr (woraus *der*), im Nom. Sg. F. und Nom.-
Akk. Pl. N. neben *blint* (aus *blintu) ein *blintiu* nach *diu* geschaffen wurde. Das endungslose *blint*, das in den meisten
Nominativformen eine Form mit Endung neben sich hatte,
wurde nun auch auf den Nom. Pl. M., wo es sonst *blinte*,
und auf den Nom. Pl. F., wo es sonst *blinto* (nach *deo*, *dio*)
hieß, übertragen, freilich nur in prädikativer Funktion, infolgedessen auch im Nom. Pl. N. *blint* auf prädikativen Gebrauch
beschränkt wurde (also nur *blintiu barn* „blinde Kinder", aber
noch *diu barn sint blint* neben *blintiu*).

Die idg. *i*-Stämme hatten für das M. und F. ganz
dieselben und nur für das N., und auch hier nur im

Nom.-Akk. Sg. und Pl., besondere Formen: gr. ἴδρις, ἴδρι, ἴδρια, lat. *levis*, *leve* (aus *levi), *levia*. Auch got. ist hier im Gegensatz zu den Substantiven im Nom. Sg. -*i-s* nach kürzer Silbe erhalten: so M. *sutis* „ruhig", F. *nawis* „tot" (dagegen nach langer Silbe M. und F. *hrains* „rein"). Doch hatte schon urg. die Pronominalflexion der *o*-Klasse die der *i*-Klasse nach sich gezogen, wobei indes letztere speziell die Formen der *i̯o*-Stämme annahm, da sie mit den zu diesen gehörigen sog. Partizipien der Notwendigkeit (wie ai. *yáj-ya-s* „zu verehren" = gr. ἅγ-ιο-ς „heilig") nach dem Ausweis des Got. (z. B. in *brūks* „brauchbar" aus **brūki̯z*) den Nom. Sg. auf -*i-s* teilte, der auch in anderen idg. Sprachen bei einzelnen *i̯o*-Stämmen, z. B. in alat. *alis* für *alius*, als Schwundstufe erscheint. So bildete sich aus diesen *i̯o*-Stämmen und den *i*-Stämmen eine einzige Gruppe, wobei fast durchweg die zur Hauptmasse der Adjektiva stimmenden Formen der ersteren siegten. Daher von got. *hrains* „rein" Dat. Sg. M. und N. *hrainjamma*, Dat. Sg. F. *hrainjai*, Nom. Pl. M. *hrainjai*. Da indes der Nom. Sg. M. auf -*i-s*, der kein *j* hatte, aus dem Paradigma herausfiel, so siegte auch beim Nom. Sg. F. und N. die Form der *i*-Adjektiva: so im F. *nawis* „tot", *sēls* „gut", aber auch *brūks* „brauchbar", im N. *hrain* usw. Aisl. und wg. sind dann die *i*-Stämme völlig mit den *i̯o*-Stämmen zusammengefallen.

Die *u*-Stämme schwankten idg. zwischen einer mit dem M. übereinstimmenden Form und einer auf -*i̯ē*, -*ī*, das mit -*i̯ā* wechselte: vgl. ai. *tanú-š* „dünn", F. *tanú-š* und *tanv-í*, gr. ϑῆλυ-ς, F. ϑῆλυ-ς und ϑήλεια (aus *ϑηλεϝ-ια). Aus einer urg. Form aber wie dem Akk. Pl. F. **hardu-i̯ōz* (zu got. *hardus* „hart", gr. κρατύς „stark") wurde **hardi̯ōz*, weil *u* zwischen Konsonant und *i̯* schwindet (vgl. ai. *pítr̥-vyas* „Vaterbruder", ahd. *fatureo* mit *e* für *i̯*). Als dann auch die *u*-Stämme von den pronominal flektierenden *o*-Stämmen attrahiert würden, traten in denselben Kasus wie bei den *i*-Stämmen *i̯o*-Formen ein, aber mit Fortlassung des voraufgehenden *u* z. B. got. Dat. Sg. M. und N. *hardjamma*, Dat. Sg. F. *hardjai*. Unter der Einwirkung der *i*-Stämme hielten sich jedoch die *u*-Formen im Nom. Sg. aller drei Genera: got. *hardus, hardus, hardu* (doch N. auch *hardjata*). Da nord. *u* in *-uʀ* stets, wg. *-u* meist (nämlich nach langer Silbe) geschwunden ist, so hat hier die adjektivische *u*-Deklination überhaupt nur wenige deutliche Spuren im Ags. (*cucu* „lebendig“, *wlacu* „lau“) hinterlassen. Da die obliquen Kasus der Klasse mit *i̯* gebildet wurden, so findet oft ein Schwanken zwischen *o*- und *i̯o*-Deklination statt: so steht für aisl. *glǫggr* „genau“ = got. *glaggwus* meist *gløggr* mit *i*-Umlaut nach den obliquen Kasus, neben ahd. *hart* = got. *hardus* auch *herti*.

b. Schwache Deklination.

Idg. konnten mit dem Suffix *-en-, -on-* Substantiva, die ein Lebewesen bezeichneten, gebildet werden, z. B. gr. *γάστρων* „Schlemmer“ zu *γαστήρ*, lat. *praedō* „Räuber“ zu *praeda*, got. *staua* „Richter“ zu *staua* F. „Gericht“. Vielfach schlossen sich diese Bildungen an Adjektiva an, so gr. *στραβών* „Schieler“ an *στραβός* „schielend“, lat. *bibō* „Trinker“ an *multibibus* „vieltrinkend“, got. *weiha* „Priester“ an *weihs* „heilig“. Solche Wörter konnten nun leicht zu anderen Personalbezeichnungen appositionell hinzutreten, z. B. in aisl. *Sigvǫrþr unge,* eig. „Siegfried der Jüngling“, wobei *unge* dem Substantiv ai. *yúvan,* lat. *iuvenis* entspricht. In Fällen dieser Art ließ sich aber das appositionelle Substantiv auch adjektivisch und zwar in bestimmtem Sinne verstehen, also

Sigvǫrþr unge auch als „der junge Siegfried". Nach dem Muster von Verbindungen dieser Art bildete sich aber schon urg. zu jedem Adjektiv ein *n*-Stamm als Bestimmtheitsform heraus, indem z. B. neben **blindaz sunuz*, das erstens „ein blinder Sohn", zweitens „der blinde Sohn" bedeutete, ein **sunuz blindõ* (*-ēn*) trat, das nur die letztere Bedeutung hatte. Dies führte weiter dazu, daß die starke, d. h. die ursprüngliche Adjektivform allmählich auf die Funktion der Unbestimmtheit eingeschränkt wurde. Als in den germanischen Einzeldialekten sich aus dem Demonstrativum der bestimmte Artikel entwickelte, konnte dieser natürlich nur mit dem schwachen Adjektiv verbunden werden, daher z. B. got. *sa blinda sunus* „der blinde Sohn", aber *blinds sunus* „ein blinder Sohn".

Naturgemäß mußte zu dem maskulinen adjektivischen *n*-Stamme auch ein femininer und ein neutraler gefügt werden: die Flexion der adjektivischen *n*-Stämme wurde hierbei in allen Geschlechtern mit der der substantivischen in Einklang gesetzt: got. Nom. Sg. *blinda, blindō, blindō,* Gen. *blindins, blindōns, blindins.* Zu den adjektivischen *i*- und *u*-Stämmen wurde die schwache Flexion von ihren *i̯o*-Formen gebildet: got. *hrainja, hrainjō, hrainjō, hardja, hardjō, hardjō.*

B. Komparation.

a. Regelmäßige Komparation.

α. Komparativ.

Der Komparativ wurde idg. auf *-i̯es-, -i̯os-* gebildet, das dehnstufig als *-iōs* im Nom. Sg. M. F. z. B. in lat. *māior* aus **māi̯ōs* wie *honor* aus *honōs,* schwundstufig als *-is* z. B. in lat. *mag-is* erscheint. In einem Teile des Idg. wurde der Komparativstamm durch *-en-, -on-* erweitert, wie gr. z. B. *ἡδίων* aus **ἡδ-ισ-ων* zeigt: auch germ. wird der Komparativ mit *-izen-* gebildet. Das Komparativsuffix trat idg. an die

Wurzel, nicht an den Positivstamm: lat. *alt-ior* von *alt-u-s*,
gr. ἡδ-ίων von ἡδ-ύ-ς, αἰσχ-ίων von αἰσχ-ρό-s. Germ. tritt
-izen- ein für ein *-o-*, *-io-*, *-i-*, *-u-* des Positivs; doch schwindet
das unbetonte *i* des Suffixes aisl. und ags., nachdem es Umlaut
gewirkt hat, as. schwankt es nach *e* hinüber, schwindet jedoch
auch oft: got. *hauhs* (o-Stamm) „hoch": *hauhiza*, aisl.. *hóre*,
ags. *híehra*, ahd. *hōhiro*: as. *lang* (o-Stamm) „lang", *lengira*;
got. *alþeis* „alt" (io-Stamm), *alþiza*, aisl. *ellre*, ags. *ieldra*,
as. *aldiro*, *aldero*, *aldro* („Vorfahr"), ahd. *altiro*; got. *sutis*
„ruhig": *sutiza*; got. *hardus* „hart": *hardiza*, ahd. *hartiro*.

Doch findet sich germ. neben *-izen-* auch *-ōzen-*, z. B.
von got. *swinþs* „stark" *swinþōza*, von ahd. *hōh* auch *hōhōro*;
aisl. ist hier nichthaupttoniges *ō* zu *a* geworden z. B. in
spakare zu *spakr* „weise"; auch as. erscheint dafür neben *o*
wie in *craftigora* „kräftiger" auch *a* z. B. in *grōtara* „größer";
ags. ist der Vokal überhaupt synkopiert worden, verrät sich
jedoch noch durch den Mangel des *i*-Umlauts der Stammsilbe
z. B. in *earmra* „ärmer". Die Endung *-ōzen-* ist durch
Einwirkung der *io*-Stämme entstanden, bei denen das *i* mit dem
ihres Komparativsuffixes *-ios-* vom Sprachgefühl identifiziert
wurde, indem z. B. **niu-io-s* (got. *niu-jis* „neu"), **niu-iōs-on-*
(aisl. *nýjare*) „neuer" als **niui-o-s*, **niui-ōs-on-* abgeteilt
wurden, infolgedessen man z. B. auch von **swinþ-o-s* ein
*swinþ-ōz-on- formte. Das Suffix ist dann auch auf Adjektiva
anderer Stammesklassen übergegangen wie auf einen *u*-Stamm
in ags. *heardra* „härter", ist jedoch got. ganz, ahd. fast ganz
auf die *o*-Stämme beschränkt geblieben.

Ihr F. bildeten die Komparative idg. mit *-ię̄-*, Schwundstufe *-ī-*: abg. *dobrějiši* „besser". Die Angleichung an das
schwach flektierende M. bewirkte gotonord. den Übergang vom
Nom. Sg. auf *-ī* her in die *īn*-Klasse, wg. in das gewöhnliche
schwache F.: got. *hauhizei*, aisl. *hóre*, ags. *híehre*, as. *lengira*,
ahd. *hōhira*.

β. Superlativ.

Der Superlativ wurde idg. durch Antritt von *-to-* an die
Schwundstufe des Komparativsuffixes *-is-* gebildet: gr. ἥδ-ισ-
τος, αἰσχ-ισ-τος. Germ. blieb *-isto-*: got. *hauhists*, aisl. *hóstr*,
ags. *híehsta*, as., ahd. *hōhisto*. Wo im Komparativ *-ōzen-* für
-izen- eingetreten war, stellte sich im Superlativ *-ōsto-*, dessen
inl. *ō*, ags. und as. als *o* in seiner Qualität erhalten blieb

und nur aisl. *a* wurde, für -*isto*- ein: got. *armōsts* „ärmster“, aisl. *spakastr*. „weisester“, ags. *heardosta* „härtester“, as. *craftigosto* „kräftigster“, ahd. auch *hōhōsto* „höchster“.

Flektiert werden die Superlative got. und aisl. je nach der syntaktischen Stellung stark oder schwach, wg. nur schwach nach dem Muster der Komparative.

b. Suppletivkomparation.

In den meisten idg. Sprachen bilden die Adjektiva für „gut“ und „schlecht“, „groß“ und „klein“ den Komparativ und Superlativ von anderer Wurzel als den Positiv. Vgl. lat. *bonus, melior, optimus,* gr. ἀγαθός, ἀμείνων, ἄριστος. Es liegt das daran, daß Vorstellungen, die dem Empfinden des Sprechenden, zumal des Kindes, besonders nahe treten, auch in der Sprache schärfer erfaßt und deshalb eigenschaftliche Werturteile dieser Art nicht nur quantitativ, sondern auch qualitativ geschieden werden. Daher auch oft hier eine Vielheit von Steigerungsformen zum selben Positiv, z. T. auch mit Nüancen in der Bedeutung, besonders bei „gut“ (vgl. gr. ἀμείνων, βελτίων, κρείττων, λῴων, φέρτερος). Eine solche Vielheit wird bei diesen Adjektiven z. T. auch schon idg. existiert haben; doch sind in den Einzelsprachen so viele Neubildungen an Stelle der ursprünglichen Formen getreten, daß sich hier die idg. Komparation nur höchst unvollkommen rekonstruieren läßt. Dagegen sind die hier urg. durchgedrungenen Steigerungsformen in den germ. Dialekten meist fest geblieben, wie die folgende Tabelle zeigt:

		Got.	Aisl.	Ags.	As.	Ahd.
„gut“	Pos.	gōþs	góđr	ʒód	gōd	guot
	Komp.	batiza	betre	betra	betara	bēʒʒiro
	Sup.	batists	beztr	betsta	bezt.	bēʒʒist
„schlecht“	Pos.	ubils	vándr	yfel	ubil .	ubil
	Komp.	waírsiza	verre	wierra	wirsa	wirsiro
	Sup.	—	verstr	wiersta	wirsista	wirsisto
„groß“	Pos.	mikils	mikill	micel	mikil	mihhil
	Komp.	maiza	meire	mára	mēra	mēro
	Sup.	maists	mestr	másta	mēsta	meisto
„klein“	Pos.	leitils	lítell	lýtel	luttil	luzzil
	Komp.	minniza	minne	lǽssa	minnera	minniro
	Sup.	minnists	minnztr	lǽst	minnist	minnisto

Von diesen Adjektiven bedeudete got. *gōþs* eig. „passend‘‘ (zu abg. *godŭ* „passende Zeit“), *batiza* aber „mehr abhelfend‘‘ (zu ahd. *buoʒa* „Abhilfe“). Ags. erscheint auch noch ein *sélra* (mit Sup. *sélesta*), altags. *sǣlra* „besser“, das mit got. *sēls* „gut, tauglich“, aisl. *sǣll* „glücklich“ ablautet, wozu wieder ags. *sǣlig* „gut, glücklich“, ahd. *sālig* „glücklich“ gehört. — Got. *mikils* ist mit gr. μέγας (Gen. μεγάλου) verwandt, während *maiza* dem air. *mūo* (aus **mō-ios*), Komparativ zu *má-r* „groß‘‘ entspricht. — Got. *minniza* ist von derselben Wurzel wie lat. *minor*, abg. *mĭnjiĭ*, gr. μείων abgeleitet und gehört zu lat. *minuo* „vermindere“, gr. μινύω; doch kann, da auch in den übrigen idg. Einzelsprachen diese Wurzel nirgends im Positiv auftritt (vgl. lat. *parvus*, abg. *malŭ*, gr. μικρός), auch schon ursprachlich von ihr nur ein Komparativ und Superlativ gebildet worden sein.

C. Adverbialbildung.

a. Positiv.

Die Adjektivadverbia sind urg. von den *o*-Stämmen ausgegangen, indem ein noch nominal gebildeter Abl. Sg. N. auf -*ōd* wie **galīkōd*, eigentlich „vom Gleichen her“, substantiviert und damit zum selbständigen Worte wurde: got. *galeikō*, aisl. *glíka*, as. *gilīco*, ahd. *gilīhho*. Die *io*-Stämme bildeten daher ihre Adverbien auf -*iōd*, das noch got. z. B. in *gahāhjō* „zusammenhängend“ erscheint. Die *i*- und *u*-Stämme dagegen nahmen erst nach Muster der *o*-Stämme -*ōd* an, das, da die Adverbien neben den Adjektiven ebenso selbständig wie die Komparative standen, auch unmittelbar der Wurzel angefügt wurde: ahd. *scōno* zu *scōni* (got. *skauns*) „schön“, ahd. *harto* zu *hᵉrti* (got. *hardus*) „hart“, got. *glaggwō* zu *glaggwus* „genau“.

Allgemein üblich ist **-ōd* nur ahd. und as. (als -*o*). Ags. findet es sich (als -*a*) nur vereinzelt, z. B. in *sinʒala* von *sinʒal* „beständig“; häufiger steht es hier nur im zusammengesetzten -*inʒa*, -*unʒa*, dessen stammbildender Bestandteil -*inʒ*- (vgl. z. B. *Hredlinʒ* „Sohn des Hredel“) die Herkunft andeutet, die ablativische Bedeutung also verstärkt: so bildet *eall* „ganz“ *eallunʒa*, *eallᵢnʒa*. Gewöhnlich erhalten jedoch die ags. Adverbia die Endung -*e*, deren Grundform **-ēd* zu **-ōd* im Ablautsverhältnis steht und in derselben Art wie dies auch auf *i*- und *u*-Stämme übertragen worden ist: daher

ʒelíce von ʒelíc „gleich" und unlautloses swóte von swéte
„süß" (aus *swóti; i̯o-Stamm für früheren u-Stamm: ai.
svādu-š, gr. ἡδύ-ς) wie ahd. harto von hérti.

Aisl. ist -a aus *-ōd regelmäßig nur noch bei den Adjektiven auf -ligr, z. B. in varliga „vorsichtig", im übrigen nur
vereinzelt erhalten. Sonst ist hier der Akk. Sg. N. auf -t,
z. B. miúkt von miúkr „weich", Adverb geworden.

Auch got. sind Adverbia auf -ō nur noch vereinzelt.
Gewöhnlich wird hier das Adverb auf -ba gebildet, das an
alle Stammesauslaute tritt: baírhtaba „glänzend", sunjaba
„wahr", arniba „sicher", harduba „hart". Dies -ba geht
wahrscheinlich auf ein idg. Instrumentalsuffix -bhō zurück,
dessen Nebenform -bho in gallisch -βο und pluralisiert auch
in lat. -bus aus *-bos in hominibus usw. vorliegt.

Die verschiedenen mit dem Begriff „gut" verbundenen
Vorstellungen machten sich in der Empfindung des Germanen
so lebhaft geltend, daß hier auch das Adverb suppletiv gebildet wurde. Wie gr. ἀγαϑός ein εὖ, so hat got. gōþs, aisl.
góðr usw. ein got. waila, aisl. vel, ags., as. wel, as., ahd. wela
als Adverb neben sich (zu got. wiljan „wollen", aisl. valr
„Wahl", also eig. „nach Wunsch"; verwandt ist auch das
kymr. Adjektiv guell „besser", eig. „Wahl").

b. Komparativ.

Beim Komparativ wurde idg. wie noch ai., gr., lat., abg.
der Akk. Sg. N. als Adverb verwandt: vgl. ai. prāyas „meist",
gr. πλέον, lat. plūs, ahg. bolje „besser". Es war das ein Akkusativ des Maßes, wie er z. B. nach Ausweis von ai. purú
„viel, sehr", gr. πολύ, ahd., got. filu auch im Positiv vorkam:
derselbe geht wieder auf den Akk. der Raum- und Zeit-
erstreckung zurück, wie er noch in gr. τὴν ὁδὸν ἤγαγεν, lat.
tridui iter processit vorliegt. Neben dem Ausgange -i̯os wie
noch in ai. prā-yas und lat. long-ius stand jedoch idg. auch
schwundstufiges -is, das freilich meist nur noch in adverbialer
Erstarrung wie in lat. mag-is (zu mag-nus) und osk. mais „mehr"
(zu air. má-r „groß"), got. mais vorliegt. Germ. wurde dies
-is allgemein durchgeführt, ohne jedoch wie gr. (z. B. in ἥδιον
aus *ἥδ-ισ-ον) die n-Erweiterung des Adjektivs zu übernehmen.
Das -is mußte germ. -iz, dies got. nach langer Silbe -s werden,
wie es noch in dem zu seiþus „spät" gehörigen þana-seiþs
„weiter" vorliegt, dem aisl. síðr „weniger", ags. síð „später",

as. *sīd*, ahd. *sīd* lautlich entsprechen; nach kurzer Silbe steht got. -*is* noch in *framis* „weiter".

Doch erschien das Komparativadverb got. nach langer Silbe durch -*s*, aisl. überhaupt durch -*r*, wg. nach kurzer Silbe durch -*i*, nach langer durch den Mangel jeder Endung dem Sprachgefühl meist nicht genügend als Steigerungsgrad gekennzeichnet. Daher stellte sich dafür got. meist -*is* nach *framis* usw. sowie in Anlehnung an das -*iz*- der Adjektivkomparative z. B. in *hauhis* „höher" ein; daneben trat nach den Adjektivkomparativen mit -*ōz*- und Adverbialpositiven auf -*ō* (wie *sniumundō* „eilig") auch -*ōs* z. B. in *sniumundōs*. Aisl. wurde -*r* (mit Umlaut der Wurzelsilbe) da gewahrt, wo beim Adjektiv -*iz*- als -*r*- geblieben war z. B. in *lengr* „länger" neben *lengre*; wo aber beim Adjektiv -*ar*- eingetreten war, erhielt auch das Adverb -*ar* z. B. in *viđar* „weiter" nach *viđare*. Entsprechend blieb ags. die ursprüngliche umgelautete endungslose Form da erhalten, wo im Komparativ des Adjektivs -*iz*- geblieben und, nachdem es gleichfalls Umlaut bewirkt hatte, -*r*- geworden war wie in *lenʒ* „länger" neben *lenʒra*; dagegen erhielt die Mehrzahl der Komparativadverbia die Endung -*or* nach ursprünglichem -*or*- (woraus -*r*-) der Komparativadjektiva, ohne daß hier *i*-Umlaut eintrat: so *heardor* „härter" nach *heardra*. Ahd. ist die nach den Adjektivkomparativen auf -*ōr*- gebildete Adverbialendung -*ōr* auch bei den Adverbien der gerade hier sehr zahlreichen Adjektivkomparative mit -*ir*- in Anlehnung an die auf -*o* endigenden Positivadverbien z. B. in *langōr* „länger" neben *lengiro*, *reinōr* „reiner" neben *reiniro* regelmäßig eingetreten. Entsprechend enden auch die as. Adverbialkomparative auf -*or*, -*ur* z. B. *furđor*, *furđur* „vollständiger" neben *furđira* „größer".

Die Anlehnung an die Komparativadjektiva ist überall unterblieben bei den suppletiven Komparativadverbien, da hier die Steigerung durch den wurzelhaften Teil schon deutlicher zum Ausdruck gebracht war, als es durch die Endung hätte geschehen können. Also:

	Got.	Ags.	As.	Ahd.
„besser"	—	bet, sél	bet	baʒ
„schlechter, schlimmer"	waírs	wiers	wirs	wirs
„mehr"	mais	má	—	mēr
„weniger, geringer"	mins	lǽs	lēs	min

bet, baʒ hat sein *-ʒ* nach kurzer Silbe nach dem Vorbilde des gegensätzlichen *wiers, wirs* eingebüßt.

c. Superlativ.

Für den Superlativ verwendet das Germ. den Akk. Sg. N. der starken Flexion (auch als Akk. des Maßes) als Adverb z. B. got. *maist* „meist", aisl. *vídast* „am weitesten", ags. *wídost*, as. *wīdost*, ahd. *-minnist* „am kleinsten". Ahd. bilden die Superlative mit *-ist-* neben Adverbien auf *-ist* auch solche auf *-ōst* nach den Komparativadverbien auf *-ōr* z. B. *lengisto* „längster" auch *langōst*; doch konnten sich die Superlativ- adverbien auf *-ist* im Gegensatz zu den meist endungslos ge- wordenen Komparativadverbien überhaupt erhalten, weil sie ein deutliches Steigerungselement enthielten.

4. Zahlwörter.

A. Kardinalia.

a. 1—4.

1—4 wurden idg. dreigeschlechtig flektiert.

1. Idg. **oinos*: alat. *oinos*, got. *ains*, aisl. *einn*, ags. *án*, as. *ēn*, ahd. *ein*.

2. Idg. Dual: gr. δύο (δύω), δυοῖν. Germ. ist Plural- flexion eingetreten: got. Nom. M. *twai*, F. *twōs*, N. *twa*. Dualformen sind noch Nom. M. ags. *tú* aus **tuō*, Nom. N. ags. *twá*, as. *twē*, aus **tuai* (ai. *dvé*), aisl. *tvau* = ai. *dváu* M.

3. Idg. Nom. M. *trei̯-es*: ai. *tráyas*, kret. τρέες, got. **þreis* (Akk. *þrins*), aisl. *þrír*, ags. *ðrí*. Das F. (ai. *tisrás*, air. *teoir*) hat das Germ. wie das Griech. und Lat. nach Muster der substantivischen *i*-Stämme dem M. gleich geformt (got. Akk. *þrins*); doch hat das Nord.-Wg. einen neuen Nom.-Akk. F. nach der *ā*-Deklination gebildet: aisl. *þriár*, ags. *ðréo* (aus **dria*), as. *threa*, ahd. *drīo*. Dagegen z. B. Dat. F. wie M. N. aisl. *þrimr* usw.

4. Idg. Nom. M. **kᵘetu̯or-es*: ai. *catváras*, dor. τέτορες. Die konsonantische Flexion erscheint im aisl. M. *fiórer*, F. *fiórar*, N. *fiogor* durch die *o*-Flexion, doch mit eigentümlichen Stammesunterschieden, verdrängt. Got.-wg. ist 4 nach 5 bis 19 indeklinabel geworden: got. *fidwōr*, ags. *féower*, as. *fiuwar*, ahd. *feor*; wie das Got. zeigt, liegt der Nom.-Akk. N. (ai. *catvári*) zugrunde. Das anl. *f* beruht auf Angleichung an *fimf*,

b. 5—10.

5. Idg. *$penk^v e$, gr. πέντε, lat. *quinque*, got., ahd. *fimf*, aisl. *fimm*, ags. *fíf*, as. *fīf*. Das zweite *f* beruht auf Assimilation an das erste.

6. Idg. *$seks$, gr. ἕξ, lat. *sex*, got. *saíhs*, aisl. *sex*, ags. *siex*, as., ahd. *sehs*.

7. Idg. *$septm$, gr. ἑπτά, lat. *septem*. Germ. wurde das Ordinale *$septm-tó$- zu *$sepmtó$- durch Dissimilation der beiden *t*: daher auch das Kardinale *$sepm$: got. *sibun*, aisl. *siau*, ags. *seofon*, as. *sibun*, ahd. *sibun*.

8. Idg. *$októ$ (gr. ὀκτώ, lat. *octo*) und *$októu$- (ai. *aṣṭáu*): letzteres in got. *ahtau*, aisl. *átta*, ags. *eahta*, as., ahd. *ahto*.

9. Idg. *$neun$: ai. *náva*, lat. *novem*, got. *niun* (zweisilbig), aisl. *nío*, ags. *nizon*, as. *nigun*, ahd. *niun*.

10. Idg. *$dekm$: gr. δέκα, lat. *decem*, got. *taíhun*, aisl. *tío*, ags. *tien*. As. *tehan*, ahd. *zehan* setzen ablautendes idg. *$dékom$ voraus.

c. 11—12.

	Got.	Aisl.	Ags.	As.	Ahd.
11.	ainlif	ellefo	endleofan	ellevan	einlif
12.	twalif	tolf	twelf	twelif	zwelif

Der zweite Bestandteil gehört zur Wurzel *$leik^v$ „lassen" (gr. λείπω, lat. *linquo*, lit. *lëkù*), dessen *k*-Laut sich hier nur in anorw. *ællugu* „11" erhalten hat; im übrigen hat 11 das *f* von 12 übernommen, das selbst wie got. *wulfs* „Wolf" neben abg. *vlŭkŭ*, gr. λύκος auf Assimilation an das *u* des Wortes beruht; die Bedeutung ist „eins, zwei übrig lassend (über 10)". Mit diesem Element sind 11 und 12 nur noch lit. zusammengesetzt, wo dasselbe aber bis 19 vorgedrungen ist (*trýlika* 13 wie *dvýlika* 12 usw.): dagegen gr. δώδεκα, lat. *duodecim* usw.

d. 13—19.

Hier hat auch das Germ. Zusammensetzungen mit 10, z. B. got. *fimftaíhun* „15", aisl. *fimtán* usw.

5 bis 19 sind germ. wie idg. indeklinabel, haben jedoch got.-wg. (wie auch 4) im Gen. und Dat. Nebenformen nach der *i*-Deklination nach dem Muster der 3 angenommen: so got. *twalibē*, *twalibim*, ahd. *zwelfeo*, *zwelfim*. Wg. hat sich

auch der Nom.-Akk. angeschlossen: so ags. M. F. *twelfe*, N. *twelfu*, ahd. M. F. *zwelfi*, N. *zwelfiu*.

e. 20—60.

An Stelle der alten Ausdrücke wie gr. τριάκοντα, lat. *trīgintā* traten germ. für die Zehner bis 60 Bildungen mit dem Substantiv **teʒu-s* „Dekade", das mit got. *taíhun* verwandt ist. So z. B. 40: got. *fidwōr tigjus*, aisl. *fiórer tiger*, ags. *féowertiʒ*, as. *fiwartig*, ahd. *fiorzug* (wg. indeklinabel geworden).

20 lautet aisl. noch *tottogo* aus **tō-tuʒu* „zwei Dekaden" (Nom. Du., indeklinabel geworden). Got.-wg. trat auch hier der Pl. ein, wg. mit dem Dat. von 2 noch im instrumentalen Sinn: ags. *twǽntiʒ*, as. *twēntig*, ahd. *zweinzug* („mit 2 die Zehner"); got. ist von 20 nur der Dat. *twaim tigum* belegt.

f. 70—120.

	Got.	Aisl.	Ags.	As.	Ahd.
70.	sibuntēhund	siau tiger	hundseofontiʒ	antsibunta	sibunzo
80.	ahtautēhund	átta tiger	hundeahtatiʒ	antahtoda	ahtozo
90.	niuntēhund	nío tiger	hundniʒontiʒ	nigonda	
100.	taíhuntēhund	tío tiger	hundtéontiʒ	hund	zehanzo
110.		ellefo tiger	hundendleofantiʒ		
120.		hundrað	hundtwelftiʒ		

As. *hund* entspricht lat. *centum*, gr. ἑκατόν; aisl. *hundrað* bedeutet eig. „Hundertzahl" (zu got. *raþjan* „zählen"); die übrigen Formen sind nicht genügend erklärt. Daß wie alle übrigen germ. Dialekte auch das Aisl. ursprünglich den Einschnitt nach 60 hatte, erhellt aus dem Gegensatze von *tuítøgr* „20 Jahr alt" — *sextøgr* „60 Jahr alt" und *siaurǿdr* „70 Jahr alt" — *tolfrǿdr* „120 Jahr alt" (zu got. *raþjan*). Der Unterschied ist darin begründet, daß das idg. Dezimalsystem Einflüsse des babylonischen Sexagesimalsystems erfahren hat. Daher bedeutet auch aisl. *hundrað* ohne Zusatz 120 (= 2×60), dagegen ags. *hundred*, as. *hunderod* neben *hund* 100; letzteres heißt aisl. *tío tiger* oder *hundrað tírǿtt* („zehnzähliges Hundert"). Doch wurde auch noch neuenglisch *long hundred*, noch nhd. *Großhundert* für 120 gesagt. Da 120 = 12 × 10 und 110 = 11 × 10, hatte das Germ. auch besondere Einerausdrücke für 12 und 11 geschaffen.

g. 200—1200.

300 bis 900 wurden idg. durch Vorsetzung der Einer-
zahl vor den Pl. des neutralen Substantivs „100“ gebildet:
so 300 ai. *trī́ni śatā́ni*, abg. *tri sŭta*, got. *þrija hunda,* ags.
dréo hund, ahd. *driu hunt.* Für den Du. 200, ai. *dvĕ́ śatĕ́,*
abg. *dŭve sŭtḗ,* trat germ. auch der Pl. ein: got. *twa hunda*
usw. Aisl. heißt *tvau hundroð* 240, *þriú hundroð* 360 usw.
1000 ist germ. Substantiv: got. *þúsundi* F., ags. *þúsend*
N., ahd. *dūsunt* F. N. Es entspricht abg. *tyseşta* F. aus
idg. **tūs-ḱm̥tįe*, eigentlich „Krafthundertschaft“ (zu ai. *távas*
N. „Kraft“, und **ḱm̥t-* „100“). As. *thūsundig* hat sein *-ig*
von *twēntig* usw. erhalten. Aisl. bedeutet *þúsund* F. meist
1200: in *þúshund, þúshundrað* ist erneute Anlehnung an
120 (100) erfolgt.

B. Ordinalia.

1. Got. *fruma,* ags. *forma,* as. *formo*: mit dem Superlativsuffix *-mo-* zu got. *faúra,* ags. *fore,* as. *fora* „vor“ gebildet. Das gewöhnliche Superlativsuffix steckt in aisl. *fyrstr,*
ags. *fyrest,* as., ahd. *furisto* und ags. *ǽrest,* as. ē*rista,* ahd.
ē*risto* zu got. *air* „frühe“.

2. Got. *anþar,* aisl. *annarr,* ags. *óðer,* as. *ōthar,* ahd.
ander: es entspricht ai. *ántaras* „verschieden von“ und ist
ein Komparativ auf *-tero-* wie gr. δεύ-τερος neben γλυκύ-τερος.

3. Idg. von 3 mit *-tįo-* gebildet: lat. *ter-tius,* abg. *tre-tĭjĭ*:
go. *þridja,* aisl. *þriðe,* ags. *dridda,* as. *thriddio,* ahd. *dritto.*
Von 4—6 wurden die Ordinalia idg. mit dem Super-
lativsuffix *-to-* gebildet: lat. *quartus, quintus, sextue,* gr.
τέταρτος, πέμπτος, ἕκτος. Germ. wurde dies Suffix auch für
die folgenden Zahlen durchgeführt; daher z. B. got. nicht
nur 6. *saíhsta,* sondern auch 8. *ahtuda,* 10. *taíhunda.*

II. Verbum.

1. Formenbestand.

Der Formenbestand des idg. Verbums ist germ. nur
unvollständig erhalten. Es existieren noch germ.:

1) Zwei Tempora, Präsens und Präteritum. Letzteres
ist teils aus einem idg. Perfektum hervorgegangen

(starkes Prät.), teils durch Umschreibung mit einem
Aorist entstanden (schwaches Prät.). Sonst ist der idg.
Aorist bis auf eine bestimmte Form und wenige isolierte
Reste untergegangen. Vollständig verschwunden sind
das idg. Imperfektum, Plusquamperfektum und Futurum.

2) Drei Modi,. Indikativ, Optativ und Imperativ.
Der idg. Konjunktiv ist verloren, hat jedoch bei gewissen
Verbalklassen den Opt. ersetzt.

3) Zwei Genera, Aktiv und Medium, letzteres idg.
dynamisch, reflexiv und passivisch, germ. nur passivisch
gebraucht. Es ist nur got. und auch da nur im Präs.
erhalten.

4) Drei Numeri, Singular, Dual und Plural. Der
Du. ist nur. got. und urn. (wo jedoch nur einmal die
1. Du. überliefert ist) bewahrt; doch wird auch got. die
3. Du. durch den Pl. ersetzt, da sich der Du. des Verbums nur im Anschluß an den des Personalpronomens
erhalten hat, von letzterem aber nur 1. und 2. Person
existiert.. Im Pass. ist der Du. ganz verloren.

5) Drei Personen; doch sind im got. Passiv die
1. Sg. durch die 3. Sg., die 1. und 2. Pl. durch die
3. Pl. verdrängt worden, letzteres ags. und as. im Akt.
Es liegt das daran, daß in der Kindersprache die 1. und
2. Person meist durch die 3. ersetzt werden. Da auf
diese Weise die verschiedenen Personen überhaupt durcheinander geraten, so kann auch (doch seltener) die 3.
verdrängt werden, wie dies aisl. im Sg. Präs. Ind. durch
die 2. geschehen ist.

6) Drei Verbalnomina, d. h. in das Verbalsystem
einbezogene Verbalsubstantiva (Infinitive) und Verbal-
adjektiva (Partizipien). Die Infinitive sind erst in den
idg. Einzelsprachen aus anderen Wörtern entstanden, die
Partizipien schon im Idg. selbst. Es existieren germ.

ein Inf. Fräs. Akt., ein Part. Präs. Akt. und ein Part.
Prät. Pass. Letzteres hat sich, da ein Prät. Pass. nicht
mehr vorhanden war, auch an ein solches nicht mehr
anlehnen können, dient vielmehr selbst in Verbindung
mit Hilfsverben zu dessen Umschreibung, so in got.
baúrans was oder *warþ* „er wurde getragen".

Nur Tempus und Modus wurden idg. meist durch
selbständige Suffixe gekennzeichnet: Genus und Numerus
kamen nur mit in den Personalendungen zum Ausdruck;
z. T. gilt das auch von Tempus und Modus.

2. Tempusbildung.

A. Präsens.

Nur bei wenigen Präsentien wie *es-mi* „ich bin"
(ai. *ás-mi*, gr. εἰ-μί, got. *i-m*) traten idg. die Personalendungen direkt an die Wurzel. Bei der ungeheuren
Mehrzahl der Fräs. wurde zwischen Wurzel und Personalendung noch ein Element gefügt, das die besondere Art
der Handlung bezeichnete. Doch hat sich in den idg.
Einzelsprachen — von bestimmten Verbalklassen ab-
gesehen — diese spezielle Bedeutung nur spurenweise
erhalten.

Die Präs. flektierten idg. etwas verschieden, je
nachdem das Präsenselement auf den sog. Themavokal
-*e*, ablautend -*o*, oder auf einen anderen Vokal ausging.
Im ersteren Falle spricht man von thematischen, im
letzteren von athematischen Präsentien, zu denen aber
auch die Wurzelpräsentia gehören. Thematische sowohl
wie athematische Präsentia gliedern sich wieder in eine
Anzahl von Unterabteilungen. Hier werden in selbständigen Abschnitten nur die aus dem Germ. noch er-
kennbaren idg. Präsensklassen behandelt werden.

a. Thematische Präsentia.

α. e-o-Klasse.

		Got.	Aisl.	Ags.	As.	Ahd.
Sg.	1.	baíra „trage"	ber	bere	biru	biru
	2.	baíris		bires	biris	biris
	3.	baíriþ	berr	biređ	biriđ	birit
Du.	1.	baírōs				
	2.	baírats				
Pl.	1.	baíram	berom			beramēs
	2.	baíriþ	beređ	berađ	berađ	beret
	3.	baírand	bera			berant

An die Wurzel wurde nur idg. -e- gesetzt, das in den 1. Personen aller Numeri und in der 3. Pl. zu -o- ablautete. So gr. φέρε-ις = got. baíri-s (lat. tegi-s), φέρε-ι = got. baíri-þ (lat. tegi-t), φέρε-τε = baíri-þ (lat. tegi-tis), aber φέρω = lat. ferō = baíra, φέρο-μεν = baíra-m, dor. φέρο-ντι (lat. feru-nt) = baíra-nd.

In die 2. Du. hat das Got. a (aus o) eingeführt: baíra-ts, aber φέρε-τον. Ebenso das Alem. in die 2. Pl.: berat. Wenn hier das übrige Ahd. beret zeigt, so ist das eine Mischung dieses berat mit zu erwartendem *birit (vgl. S. 75); in aisl. beređ ist wie in ags. bires, biređ das e lautgesetzliche Rückformung aus i (altags. noch biris, biriđ). Westsächs. ist dies -e auch in die 1. Sg. gedrungen; anglisch steht dafür noch -u.

Idg. gliederte sich diese Klasse in zwei Unterarten, je nachdem der Ton auf der Wurzelsilbe oder dem Themavokal lag. In ersterem Falle wie in ai. bhárati „trägt" (idg. *bhére-ti) mußte die Wurzelsilbe Vollstufe, in letzterem wie ai. tudáti „stößt" (idg. *tudé-ti aus *teudé-ti) Schwundstufe zeigen.

Germ. hat die Vollstufe, die schon idg. überwog, bei den meisten Präsentien, d. h. denen mit wurzelhaftem e, die Schwundstufe fast ganz verdrängt. Es hängt das damit zusammen, daß, nachdem die Perfektreduplikation meist verloren war, der Ablaut für das Sprachgefühl zum Hauptunterscheidungsmittel der Tempora wurde. Nach dem zwischen Präsens, Sg. Prät., Pl. Prät. und Part. Prät. bestehenden Vokalwechsel, der je nach den dem *e* folgenden Lauten ein verschiedener ist, gliedern sich überhaupt germ. die Verba mit wurzelhaftem *e* in fünf Unterabteilungen, die man als die fünf ersten Ablautsreihen bezeichnet, von denen sich jedoch die dritte und vierte wieder in kleinere Gruppen spalten. Es kann in der Wurzelsilbe und damit im Vollstufenpräsens stehen:

1. Idg. *ei̯*, woraus germ. *ī*: gr. *στείχειν* „steigen", got. *steigan*, aisl. *stíga*, ags. *stíʒan*, as., ahd. *stīgan*.

2. Idg. *eu̯*, woraus germ. *eo* (got. *iu*): gr. *γεύεσθαι* (aus *γεύσεσθαι*) „kosten": got. *kiusan* „wählen", aisl. *kiósa*, ags. *céosan*, as. *keosan*, ahd. *kiosan*.

3. Idg. *e* + Konsonantengruppe.

a) Idg. *e* + Nas. + Verschlußlaut: thrak. *βενδ* „binden", got., ags., as. *bindan*, aisl. *bɩnda*, ahd. *bintan*.

b) Idg. *el* + Kons. oder *e* + Gruppe von Geräuschlauten (Spiranten und Verschlußlauten): lit. *szèlpti* „helfen", got. *hilpan*, aisl. *hialpa* (aus **helpa*; vgl. *svelga* „verschlingen", ahd. *swelgan*), ags., as. *helpan*, ahd. *helfan*. — abg. *trēskŭ* (Dehnstufe) „Krach", dazu got. *þriskan* „dreschen" (eig. „mit den Füßen stampfen"), ags. *ðerscan*, ahd. *dreskan*. — aisl. *bregða* „ans Licht ziehen" ags. *breʒdan* „ziehen", as. *bregdan* „knüpfen", ahd. *brettan* „ziehen".

c) Idg. *er* + Kons.: ai. *várt-ɐti* „dreht", lat. *vert-it*, got. *waírþan* „werden", aisl. *verða*, ags. *weorðan*, as. *werthan*, ahd. *werdan*.

4. Idg. *e* + Nas. oder Liq. (kein zweiter Konsonant):

a) Idg. *em*: lett. *nem-t* „nehmen", got., ags. *niman* (ags. *e* vor *m* zu *i*), aisl. *nema*, as., ahd. *neman*.

b) Idg. *el*: air. *tela* „Dieb", dazu got. *stilan* „stehlen", aisl. *stela*, ags., as., ahd. *stelan*.

c) Idg. *er*: gr. *φέρ-ειν* „tragen", lat. *fer-re*, got. *bairan*, aisl. *bera*, ags., as., ahd. *beran*.

5. Idg. *e* + einfacher Geräuschlaut: lit. *lesù* „picke auf“,
got. *lisan* „sammeln“, aisl *lesa*, ags., as., ahd. *lesan.*

Ein Fall erhaltener Schwundstufe im Fräs. ist für die
erste Reihe anglisch *riopan* „ernten“ (*io* kann nur aus *i* gebrochen s̜ein), für die dritte aisl. *holfa* (aus *hlfan*) „gewölbt
sein“. Über das ganze Germ. verbreitete Verba mit ursprünglich schwundstufigem Präs. zeigen dies meist nur noch
in einzelnen Dialekten, so in der fünften Reihe got. *trudan*
„treten“, aisl. *troda* (durch Metathesis aus *turdun* unter Einwirkung des Prät. got. *trad*, aisl. *trað*), aber ags., as. *tredan*,
ahd. *tretan*: der wg. Übergang ist nach der Proportion *las*
„sammelte“: *trad* „trat“ = *lesan*: *tredan* erfolgt.

Auch bei wurzelhaftem *ē* herrscht germ. im Präs.
die Vollstufe, so in gr. *λήδεῖν* „träg sein“, got. *lētan*
„lassen“, aisl. *láta*, ags. *lǽtan*, as. *lātan*, ahd. *lâzzan*.

Bei wurzelhaftem *a* steht im germ. Präsens gleichfalls regelmäßig Vollstufe: lat. *al-ere*, got., ags. *alan*
„wachsen“, aisl. *ala* „ernähren“.

Bei wurzelhaftem *ā* kommt germ. gleichfalls die Vollstufe vor: att. *πλήσσω* (aus *πλᾱσσω*) „schlage“, lat. *plāga*
„Schlag“, wozu Schwundstufe in gr. *πλαγ-ῆναι* und lat.
pla-n-g-ere „schlagen, klagen“: got. *flōkan* „beklagen“
(Prät. *faí-flōk*), ags. *flócan* „schlagen“, ahd. *fluohhan*
„fluchen“ (wegen *farfluohhan* „verworfen, böse“ so anzusetzen). Doch war hier idg. auch die Schwundstufe
nicht selten z. B. in gr. *θάλλω* neben att. *εὐθηλής* (aus
εὐθάλης), dor. *τέθᾱλα*. Auch germ. erscheint diese hier
z. B. in aisl. *vaða* „waten“, ags. *wadan*, ahd. *watan* gegenüber lat. *vādō*.

Bei wurzelhaftem *ēu* wie *āu* mußte ein schwundstufiges
Präsens *ū* haben, so afr. *slūta* „schließen“, mnd. *slūten* von
der idg. Wurzel *sklāu* mit der Nebenform *klāu* in lat. *clāu-
is*, dor. *κλᾱΐς* (aus *κλᾱϝ-ίς*) „Schlüssel“. Da im Perf. vollstufiges
āu zu *au* wurde, so trat hier Zusammenfall mit der zweiten
Ablautsreihe ein: daher ahd. auch Fräs. *sliozan*. Die Erhaltung des *ū* im Afr.-As. ist durch den Parallelismus der ersten
Ablautsreihe bewirkt worden: *stīgan*: *staig* = *slūtan*: *slaut*.

Wenn sich überhaupt germ. eine größere Anzahl von Präsentien mit $\bar{u}$ in der zweiten Reihe findet (z. B. ags. *súcan*, *súƶan* „saugen", aisl. *súga*, mnd. *sūgen*, ahd. *sūgan*, zu lat. *sūgere*), so sind diese wahrscheinlich sogar größtenteils an die Stelle ursprünglicher Vollstufenpräsentia von *eu̯*-Wurzeln getreten, so sicher ags. *búƶan* „biegen", wofür noch got. *biugan*, ahd. *beogan* wie gr. φεύγω, wozu ἔφυγον, ai. *bhugnás* „gebogen".

Sämtliche übrigen thematischen Präsentia, die vor dem *e-o* in ihrem Thema noch einen Konsonanten oder eine Konsonantengruppe hatten, besaßen mit Ausnahme der meisten *i̯e*-Präsentia dieselbe Abstufung des Themavokals wie die reine *e*-Klasse. Dies führte dazu, daß sie germ. bis auf geringe Reste in ihr aufgegangen sind. So alle *te-to*-Präsentia. Wie z. B. gr. πλέκ-ω „flechte" zeigt, gehört das *t* von lat. *plectō* zum Präsenssuffix (wie das von βλάπ-τω neben ἐ-βλάβ-ην); germ. aber ist es zum Verbalstamme gezogen worden, wie von ahd. *flehtan* das Prät. *flaht*, *fluhtum* beweist, das sich zu *half*, *hulfum* wie *flehtan* zu *werfan* verhält.

β. *ne-no*-Klasse.

Auch die *ne-no*-Klasse ist germ. größtenteils in die *e-o*-Klasse übergetreten: lat. *sper-nō* „verachte", eigentlich „stoße weg", *spr̄-uī*, aisl. *sporna* (Schwundstufe) „stoßen, treten", ags., as., ahd. *spurnan*, Prät. aisl., as., ahd. *sparn*, ags. *spearn*.

Zu den wenigen Ausnahmen gehört got. *fraíhnan* „fragen", Prät. Sg. *frah*, Pl. *frēhum*, Part. *fraíhans*, aisl. *fregna*. *frá*, *frǫgom*, *fregenn*. Wg. ist auch hier das *n* zur Wurzel gezogen worden: ags. *friƶnan*, *fræƶn*, *fruƶnon*, *fruƶnen*, as. *fregnan*, *gi-fragn*, *frugnun*.

γ. Nasalinfixklasse.

Trug idg. das *-ne-*, *-no-* den Hauptton, so konnte das *n* Metathesis erleiden, d. h. vor den auslautenden Wurzelkonsonanten treten, wodurch es zum Infix wurde. Vgl. lit. *līp-ti* „kleben", aber *li-m-p-ù* „klebe", ai. *li-m-p-áti* „beschmiert", auch lat. *pu-pug-i*, aber *pu-n-gō*.

Germ. hat sich *n* als Präsensinfix nur in got., as. *standan* „stehen", aisl. *standa*, ags. *stondan* erhalten, wozu das Prät.

got. *stōþ*, aisl. *stóđ*, ags., as. *stōd* lautete; auch das Part. heißt
aisl. noch *stađenn*, ags. dagegcn schon *stonđen*, as. *standen*,
ahd. *gistantan*, wie hier auch schon das Prät. *stuont*.
Alle anderen Verba mit Nasalinfix haben dies entweder
im Fräs. aufgegeben oder auch in die übrigen Formen durchweg eingeführt. Oft sind hier die verschiedenen Dialekte
getrennte Wege gegangen. So ist ahd. nach *slaih* „ich schlich",
Pl. *slihhum*, Part. *gislihhan*, ein Präs. *slīhhan* gebildet worden,
dem ags. noch *slincan* „kriechen" gegenübersteht. Zu diesem
slincan ist aber als Prät. Sg. *slonc*, Pl. *sluncon*, Part. *sluncen*
nach *bindan*, *bond*, *bundon*, *bunden* geschaffen, das Wort
also aus der ersten in die dritte Ablautsreihe übergeführt
worden.

δ. *įe-įo*-Klasse.

Paradigmen: got. *tamja* „zähme", aisl. *tem*, got. *sōkja*
„suche", aisl. *søke*, ags. *fremme* „tue", as. *fremmiu*, ahd.
frummiu „fördere".

		Got.		Aisl.		Ags.	As.	Ahd.
Sg.	1.	tamja	sōkja	tem	søke	fremme	fremmiu	frummiu
	2.	tamjis	sōkeis	temr	søker	fremes	fremis	frumis
	3.	tamjiþ	sōkeiþ			fremeđ	fremiđ	frumit
Pl.	1.	tamjam	sōkjam	temiom	søkom			frummemēs
	2.	tamjiþ	sōkeiþ	temeđ	søkeđ	fremmađ	fremmiađ	frummet
	3.	tamjand	sōkjand	temia	søka			frumment

Es gab idg. starre *įe*-Bildungen, bei denen nur *įe*
und *įo* wechselten, und abstufende, bei denen wie in
lat. *capiō*, *capis* auch die Schwundstufe *i* vorkam. Da
idg. *įe*, *įo* nur nach kurzer Silbe, nach langer aber *ie*,
io stand (vgl. S. 77), das schwundstufig wie in lat. *farciō*,
farcīs ī wurde, so ergaben sich noch je zwei Unterabteilungen.

Wg. ist überall die kurzsilbige abstufende Klasse
durchgedrungen. Daher steht hier *i* in der zweiten und
dritten Sg., die nach Ausweis von lat. *capis*, *capit*, *farcīs*,

farcīt schwundstufig gebildet wurden, dagegen idg. *io* in
der 1. Sg. und 3. Pl. entsprechend lat. *capiō*, *capiunt*,
farciō, *farciunt*. In der 2. und 3. Sg. fehlt daher auch
vor *i* die wg. Konsonantendehung, die vor *i̯* in der
1. Sg. und 3. Pl. statthat. Ahd. wurde unbetontes *i̯a* zu *e*
(vgl. got. *sōkjan* „suchen", as. *sōkian*, ahd. *suohhen*); daher entspricht der 3. Pl. as. *fremmiađ* (aus *-iand̄*) ahd.
frumment, von dem auch die übrigen ahd. Pluralformen,
die nach Ausweis von lat. *capimus*, *capitis*, *farcīmus*, *far-
cītis* Schwundstufe hatten, Konsonantendehung und *e* erhielten.

Gotonordisch sind wenigstens noch kurz- und lang-
stämmige Bildungen geschieden. Bei den langstämmigen
starren Verben wurde *ie*, da unbetontes *e* germ. in *i* übergeht, über *ii* zu *ī*. So fielen die starren langstämmigen
Präs. mit den abstufenden langstämmigen nicht nur in
dem *iō* der 1. Sg. und *io* der 3. Pl., sondern auch in dem *ī*
der 2. Sg., 3. Sg. und 2. Pl. zuzammen. Die Abweichung in der 1. Pl. wurde durch allgemeine Durch-
führung des *io* der starren Bildungen beseitigt. Da bei
den thematischen Verben die 1. Pl. wie die 3. Pl. *o* auf-
wies, so drang auch bei den kurzsilbigen abgestuften
Präsentien *i̯o* in der 1. Pl. nach der 3. Pl. durch, dann
auch *i̯e* in der 2. Sg., 3. Sg. und 2. Pl.

Neben den eigentlichen *i̯e*-Bildungen standen idg.
die mit *-ei̯e-* von anderen Verben gebildeten Kausativa
(vgl. S. 43 u. 56). Da germ. unbetontes *e* zu *i* wurde, so
konnte *-ei̯esi* der 2. Sg. nur zu *-īs* (vgl. got. *gasteis*,
S. 81), *ei̯eti* der 3. Sg. nur zu *-īþ* führen. Da die
langstämmigen Kausativa so mit den langstämmigen
eigentlichen *i̯e*-Bildungen zusammenfielen, so traten die
kurzstämmigen Kausativa in die Flexion der kurzstämmigen
eigentlichen *i̯e*-Bildungen über.

b. Athematische Präsentia.

α. ā-Klasse.

	Got.	Aisl.	Ags.	As.	Ahd.
Sg. 1.	salbō „salbe"	kalla „rufe"	sealfie	salƀon	salbōm
2.	salbōs	} kallar	sealfas	salƀos	salbōs
3.	salbōþ		sealfađ	salƀođ	salbōt
Pl. 1.	salbōm	kǫllom	} sealfiađ	} salƀođ	salbōmēs
2.	salbōþ	kalleđ			salbōt
3.	salbōnd	kalla			salbōnt

Die ā-Klasse bestand idg. nur zum kleineren Teil aus primären, d. h. solchen Verben, die direkt von der Wurzel gebildet waren, wie ai. *dr-ā-ti* „läuft" (Wurzel **der*), zum größeren aus denominativen wie lat. *plantā-s* von *planta* „Pflanze". Bei letzteren konnte idg. noch eine Erweiterung mit thematischem *i̯e*, *i̯o* eintreten, wie att. τῑμά̄-ω (aus **τῑμᾱ-ι̯ω*) neben äol. τίμᾱ-μι (Pl. τίμᾱ-μεν) zeigt.

Germ. hat sich im Ind. Präs. das thematische Suffix nur im Ags. und auch da nur, wo die thematischen Verba *o* zeigen, erhalten, in der 1. Sg. und 3. Pl. In den Formen, in denen die *o*-Verba *e*, die *i̯o*-Verba *i̯e* oder *i* hatten, in der 2. und 3. Sg., sind infolge des Parallelismus auch ags. die athematischen Formen durchgedrungen. Dabei sind die primären Verba mit den denominativen zusammengefallen: vgl. das primäre ags. *borie* „bohre", ahd. *borōm* (lat. *forāre*) mit ags. *sealfie*, ahd. *salbōm* zu *salba* „Salbe" = gr. ὄλπη „Ölflasche".

Got. und ahd. ist in der 3. Pl., wo *ō* vor *n* + Kons. gekürzt worden war, dies nach den übrigen Endungen wiederhergestellt worden.

Jünger ist die aisl. Kürzung des *ō* zu *a* auch im ganzen Sg. und in der 1. Pl. zu *o* vor *m*; *kalleđ* ist nach *beređ* wegen des Parallelismus der übrigen Pluralformen gebildet worden.

β. *nāi̯*-Klasse.

Die *nāi̯*-Klasse, deren *āi̯* sehon idg. *ā* wurde, zeigt -*nā*- nur im Sg. Akt., wo -*nāi*- den Hauptton trug, die Schwundstufe -*nī*- dagegen in den endbetonten Formen, d. h. im Du. und Pl. Akt. und im ganzen Medium; ai. *mṛnā́mi* „ich zermalme", 1. Pl. *mṛnīmás*.

Germ. gebören hierhin besonders die inchoativ-intransitiven Verba wie got. *gaþaúrsnan* „dürr werden", aisl. *þorna* neben got. *þaírsan* „verdorren", aisl. *þerra*. Die Bedeutung dieser den Ausgangspunkt einer Handlung bezeichnenden Klasse hat sieh aus der terminativen Funktion, die den Nasalpräsentien überhaupt idg. zukam, entwickelt, d. h. daraus, daß diese Bildungen sowohl den Ausgangs- wie Endpunkt einer Handlung ins Auge fassen konnten: gr. ὀρνύμεν „loslassen", ai. *jānā́ti* „er erkennt an". Als ursprüngliche *nā*-Präsentia sind die Verba noch aus der got. Präteritalendung -*nōda* wie in *gaþaúrsnōda* deutlich zu erkennen; auch flektieren sie aisl. genau wie die *ā*-Präs. In der 3. Pl. des Got. wie in *gaþaúrsnand* blieb das aus -*ōnd* entstandene -*and* erhalten und bewirkte durch seinen Zusammenfall mit dem -*and* der thematischen Verba vollständigen Übergang in deren Flexion: *gaþaúrsna, gaþaúrsnis* usw. Wg. dagegen glichen die *nā*-Präsentia in Übereinstimmung mit den *ā*-Präsentien umgekehrt die 3. Pl. an die übrigen Personen an, wie z. B. ahd. *hlinōnt* „sie lehnen" (zu lat. *inclināre*) zeigt. Ags. ist dann auch die teilweise *i̯o*-Flexion auf diese Verba übergegangen: *hlinie, hliniađ*. So auch von einem Inchoativum: *éacnie* „wachse" *éacniađ* (zu got. *auka* „vermehre", ags. *éacie* „füge hinzu").

γ. $\bar{e}\underset{\cdot}{i}$-Klasse.

Got.	Aisl.	Ags.	As.	Ahd.
Sg. 1. haba „habe"	hef, hefe,	hæbbe	behbiu	babēm
2. habais	} hefr, hefer	hafas	habes, habas	habēs
3. habaiþ		hafađ	habeđ, habađ	habēt
Pl. 1. habam	hǫfom	} habbađ	} hebbiat,	habēmēs
2. habaiþ	hafeđ		} habbiat	habēt
3. haband	hafa			habēnt

Bereits idg. ist das -$\bar{e}\underset{\cdot}{i}$ dieser Verba außer vor *s* zu *ē* geworden. Es gehören hierhin meist primäre Verba wie got. *haba* „ich habe", lat. *habēre*, got. *ana-sila* „ich schweige", lat. *silēre*.

Das -*and* von got. *haband* erklärt sich aus -*ēnd* wie das von *gaþaúrsnand* aus -*ōnd*, und parallel dieser Flexion sind auch *haba*, *habam* nach *haband* gebildet worden. Das *ai* von *habais* geht auf idg. $\bar{e}\underset{\cdot}{i}$ vor *s* zurück; da die 3. Sg. und 2. Pl. sonst immer im Vokal zur 2. Sg. stimmen, so haben sie das *ai* gleichfalls erhalten.

Aisl. *hafa* entspricht got. *haband*, wie aisl. *bera* got. *berand*; nach *hafa* neben *bera* wurde *hofǫm*, *hafeđ* neben *berom*, *beređ* gebildet. In *hef*, *hefe* scheinen verschiedene dialektische Vertretungen für urg. **hab̦ō* aus **habeō* aus **habēō* vorzuliegen: danach *hefr* und *hefer*.

Sehr wahrscheinlich geht auf dies **hab̦ō* as. *hebbiu*, ags. *hæbbe* zurück (in *hæbbe* beweist das *bb* früheres Vorhandensein von $\underset{\cdot}{i}$); durch den Parallelismus mit *fremmiu*, *fremme* ergab sich in der 3. Pl. as. *hebbiat*, ags. *habbađ*. As. *habes*, *habeđ* entsprechen got. *habais*, *habaiþ*; in ags. *hafas*, *hafađ* (die in das As. übernommen worden zu sein scheinen, vgl. S. 27 f.) liegt vielleicht eine Beeinflussung durch die $\bar{a}$-Klasse vor (*sealfie : hæbbe = sealfas : hafas*).

Ahd. *habēm*, -*ēmēs* haben idg. *ē* bewahrt; ahd. *habēs*

-*ēt*, -*ēt* entsprechen got. *habais*, -*aiþ*, -*aiþ*; ahd. *habēnt* steht analogisch für *habant (vgl. *salbōnt*).

δ. Wurzelklasse.

Die Präsentia, welche idg. die Personalendungen direkt an die Wurzel fügten, betonten letztere nur im Sg., erstere dagegen im Du. und Pl.; daher erscheint der Sg. vollstufig, der Du und Pl. schwundstufig. So von Wurzel *es*: ai. *ásti* „ist", *s-tás* „beide sind", *s-ánti* „sind".

Germ. ist vom Verbum „sein" die Vollstufe im Sg. erhalten: got. *im*, *is*, *ist*, aisl. *eom*, *es*, *es*, ags. *eom*, 3. Sg. *is*, as. 3. Sg. *is*, *ist*, ahd. *ist*. Die Schwundstufe steht noch in der 3. Pl. got., ags., as., ahd. *sind*; in aisl. *ero* ist wie in gr. εἰσί aus *ἐσ-ντι die Vollstufe eingedrungen, ebenso in die 1. Pl. *erom*: daher auch 2. Pl. *eroð*. Got. 1. Pl. *sijum* und 2. Pl. *sijuþ* beruhen auf Anlehnung an die Optativformen *sijaima*, *sijaiþ*.

B. Präteritum.

a. Starkes Präteritum.

Ein starkes Präteritum bilden germ. die thematischen Verba mit Ausnahme des größten Teils der *i̯o*-Klasse.

α. Die starken Präterita im Urgermanischen.

Das dem starken Prät. zugrunde liegende idg. Perfekt wurde durch Reduplikation d. h. dadurch gebildet, daß vor die Wurzel noch der erste Wurzelkonsonant + *e* trat, während hinter dieselbe unmittelbar die Personalendungen gefügt wurden. Im Sg. lag der Hauptton auf der Wurzelsilbe, wie sich aus Übereinstimmung der ai. Betonung z. B. in *jajā́na* „ist geworden" mit der für das Urg. aus dem grammatischen Wechsel zu erschließenden (got. *saízlēp* zu *slēpan* „schlafen", aisl. *sera* zu *sá* „säen") ergibt; dieselbe hatte *o*-Stufe, wie z. B. γέγονε = ai. *jajā́na* (dessen *ā* wohl auf *o*, aber nicht auf *e* zurückgehen kann) von Wurzel *ĝen* zeigt. Der Pl. und Du. hatten

den Ton auf der Personalendung und daher Schwundstufe: ai. *jajñimá* = gr. γέγαμεν.

Bereits idg. haben einige Verba der *e*-Reihe im Du.
und Pl. auch den anl. Konsonanten der unbetonten Wurzelsilbe durch Dissimilation gegen den der Reduplikationssilbe verloren; stand dann, weil bei völligem Schwunde
des *e* das Wort wegen zu großer Konsonantenhäufung
unaussprechbar geworden wäre, in der Wurzelsilbe ǝ,
so wurde dies arisch zu *i* (vgl. S. 35), das dann mit dem
e der Reduplikationssilbe kontrahiert *ei̯*, weiter ai. *ē* ergab, während lat. und germ. *e* + ǝ direkt zu *ē* wurde:
daher ai. *sēdimá* „wir haben gesessen", lat. *sēdimus*, got.
sētum. Germ. ist diese scheinbar reduplikationslose Bildung analogiegesetzlich bei allen Verben durchgeführt
worden, die dem wurzelhaften *e* nur einfachen Konsonanten folgen ließen.

Trug die Wurzelsilbe idg. den Hauptton, so behielt
sie ihren Anlaut: ai. *sasáda* „hat gesessen" aus idg.
*sesóda. Während aber lat. *sēdī* nach *sēdimus* umgeformt
worden ist, zeigt got. *sat* noch den Vokal von **sesóda*,
freilich mit Verlust der Reduplikation. Da nach *sētum*
nur ein **sēt* hätte entstehen können, zumal in got. **ēt*,
*ētum = aisl. *át*, *átom* usw. = lat. *ēdi*, *ēdimus*, gr. ἔδ-ηδα;
ἐδ-ήδαμεν ein Muster für *ē* vorlag, so muß *sat* nebst
allen gleich gebildeten Perf. anders entstanden sein.
Es ist hier, als der Hauptton noch auf der Wurzel
lag, sog. Haplologie eingetreten, wonach wie z. B. in
ahd. *swibogo* „Schwibbogen" aus **swibibogo*, eigentlich
„Schwebebogen", eine nichthaupttonige Silbe schwinden
kann, wenn die ihr folgende mit dem gleichen Konsonanten wie sie anlautet. Daß auch anlautende Silben
auf diese Weise verloren gehen können, zeigt z. B. ngr.
δάσκαλος aus agr. διδάσκαλος. Regelmäßig eingetreten

ist solche Haplologie im ngr. Part. Perf. Pass. (das einzig vom agr. Perf. übrig geblieben ist), z. B. in βλαμμένος aus βεβλαμμένος, μαθημένος aus μεμαθημένος.

Germ. ist die Haplologie durchgeführt bei allen Verben mit wurzelhaftem *e* und zwar auch im Du. und Pl. überall, wo diese nicht schon wie got. *sēlum* die Silbenwiederholung nicht mehr sehen ließen. Nachdem so Du. und Pl. in den drei ersten Ablautsreihen die Reduplikation verloren hatten, unterschieden sie sich in ihren vor der Endung befindlichen Teilen nicht mehr von dem gleichfalls schwundstufigen Part. Prät., während sich in der vierten und fünften Reihe ein Unterschied dadurch ergab, daß hier im Part. die Formen mit *ē* nicht eingedrungen waren. Man erhält so got. folgendes Schema:

	Präsens.	Sg. Prät.	Pl. Prät.	Part. Prät.
1.	steiga „steige"	staig	stigum	stigans
2.	biuda „biete"	bauþ	budum	budans
3 a, b.	binda „binde"	band	bundum	bundans
3 c.	waírþa „werde"	warþ	waúrþum	waúrþans
4 a, b.	nima „nehme"	nam	nēmum	numans
4 c.	baíra „trage"	bar	bērum	baúrans
5.	lisa „wähle"	las	lēsum	lisans

Mit den Präsentien der idg. *a*-Reihe fielen germ. auch die schwundstufigen mit *a* aus idg. ǝ zusammen, wohin besonders solche von *ā*-Wurzeln gehörten. Diese zeigten im Perf. vollstufiges *ā* wie dor. τέθāλα neben θάλλω. Entsprechend ist von dem hierhin gehörigen got. *skaþja* „schade" (zu ἀσκηθής „schadlos" aus *ἀσκāθής) ein urg. Perf. *skeskāþa anzusetzen, das aber durch dieselbe Haplologie, welche die *e*-Reihe traf, zu *skāþa, got. *skōþ* werden mußte. In diese Analogie sind aber auch die übrigen Verba mit *a*-Präsentien eingetreten, so das ursprünglich zur *e*-Reihe gehörige got. *wahsja* „wachse", das *wōhs*, ebenso aber auch die Verba der idg. *a*-Reihe selbst, z. B. got. *hlaþa* „lade" (= abg. *kladą* „lege"), das *hlōþ* bildet.

Vor *i̯*, *u̯*, Nas. oder Liq. + Kons. mußte das *ō* des Sg. Prät. lautgesetzlich zu *a* gekürzt werden, wodurch es mit dem Präsensvokal zusammenfiel. Dieser Zusammenfall aber bewirkte die Erhaltung der Reduplikation, weil der Tempusunterschied hier nicht durch den Ablaut genügend gekennzeichnet war; es war das möglich, weil neben haplologisch entstehenden Formen die älteren Formen zunächst fortbestehen. Daher bildet z. B. got. *haita* „heiße" *haíhait*, *auka* „mehre" *aíauk*, *stalda* „besitze" *staístald*.

Die *a*-Präsentia wirkten auf ihr Prät. auch im Pl. Hier schuf bei allen Verben, bei denen dem *a* einfacher Konsonant folgte, der Parellelismus mit der *e*-Reihe von vornherein reduplikationslose Formen mit *ā*, d. h. es wurde etwa nach dem Verhältnis von *lesō* „ich sammle" zu *lēsome* „wir sammelten" zu *hlaþō* „ich lade" ein *hlāþome* „wir luden" (got. *hlōþum*) gebildet. Wo die Wurzel auf Doppelkonsonanz ausging, trat die Analogiebildung ursprünglich nicht ein: daher aisl. *uxom* „wir wuchsen" (neben Sg. *óx*) aus *u̯uhs-mé*, welche Form haplologisch aus *u̯e-u̯uhsmé* entstanden ist, das wieder sein zweites *u̯* von der vollstufigen Form hat und für schwundstufiges *u̯e-uhs-mé* steht.

Auch wo dem wurzelhaften *a* ein *i̯*, *u̯*, Liq. oder Nas. + Kons. folgte, standen im Pl. ursprünglich Schwundstufenformen, die durch Haplologie ihre Reduplikation verloren hatten. Reste davon sind noch aisl. *hlupom* „wir liefen", mhd. *luffen*, aisl. *suipom* „wir fegten", mschw. *huldom* „wir hielten". Doch wurde fast überall die Inkongruenz zwischen dem Sg. Prät., der den Unterschied vom Präs. durch Reduplikation und dem Pl. Prät., der ihn durch Ablaut zum Ausdruck brachte, zugunsten der ersteren, die sich deutlicher bemerkbar machte, beseitigt: daher got. auch *haíhaitum, aíaukum, staístaldum*.

Den fünf ersten Ablautsreihen parallel ergibt sich demnach aus der idg. *a*-Reihe got. folgendes Schema:

Präs.	Sg. Prät.	Pl. Prät.	Part. Prät.
1. haita „heiße"	haíhait	haíhaitum	haítans
2. auka „mehre"	aíauk	aíaikum	aukans
3. stalda „besitze"	staístald	staístaldum	staldans
4. fara „fahre"	fōr	fōrum	farans
5. skaba „schabe"	skōf	skōbum	skabans

Die drei ersten Reihen bilden also Untergruppen der reduplizierenden Verba, während sich die vierte und fünfte, die sich völlig gleichen, als sechste Ablautsreihe neben die fünf der idg. *e*-Reihe angehörigen Ablautsreihen stellen.

In der *ē*-Reihe verloren die liquidisch anlautenden Verba ihren Vokal in den Schwundstufenformen vollständig: daher anglisch *reordon* „rieten" aus **rerdun* zu *réda*, westsächs. *rédan* (got. -*rēdan*), *leorton* „ließen", dissimiliert aus **leolton* aus **leltun* zu *léta*, westsächs. *lǽtan* (got. *lētan*). Diese Formen konnten der Haplologie nicht unterliegen, weil auch ihre zweite Liq. der ersten Silbe angehörte. Ihr Vorhandensein bewirkte aber auch in den zugehörigen Singularformen, in denen die Reduplikation wegen des Ablauts *ō* neben präsentischem *ē* eigentlich schwinden sollte und auch in aschw. *lōt* geschwunden ist, meist Erhaltung derselben: daher got. *laílōt, -raírōþ*. Bei der Häufigkeit dieser Verba richteten sich die übrigen der gleichen Reihe nach ihnen: also got. *saísō* „säte" zu *saian* (aus **sēan*). Da bei den meisten Reduplikationspräteriten Sg. und Pl. bis auf die Endungen gleichgeformt worden waren, so geschah dies auch in der ē-Reihe: daher Pl. got. *lailōtum*, aber anglisch Sg. *reord, leort*.

In der ā-Reihe mußte bei vollstufigem Präsens das Prät. wie dies germ. ō zeigen: daher got. **flōkan* „beklagen" (ags. *flócan* „schlagen"), Prät. *faíflōk*. Auch hier hat wie sonst bei den reduplizierenden Präteriten der Pl. Reduplikation und Vokal des Sg. angenommen. — So ergeben sich got. noch die Reduplikationsreihen:

Präs.	Sg. Prät.	Pl. Prät.	Part. Prät.
lēta „lasse"	laílōt	laílōtum	lētans
flōka „beklage"	faíflōk	faíflōkum	flōkans

β. Die starken Präterita im Nordisch-Westgermanischen.

Die Präterita, die urg. die Reduplikation verloren hatten, erfuhren nord. und wg. im allgemeinen so wenig wie got. andere Veränderungen als nach den auch sonst geltenden Lautgesetzen. Es heißt daher:

	Aisl.	Ags.	As.	Ahd.
1.	steig, stigom	stáʒ, stiʒon	stēg, stigun	steig, stigum
2.	bauđ, budom	béad, budon	bōd, budun	bōt, butum
3.	varđ, vurđom	wearđ, wurdon	warth, wurdun	ward, wurtum
4.	bar, bǫrom	bær, bǽron	bar, bārun	bar, bārum
5.	las, lǫsom	læs, lǽson	las, lāsun	las, lārum
6.	fór, fórom	fór, fóron	fōr, fōrun	fuor, fuorum

Dagegen erlitten die urg. noch reduplizierenden Präterita nord.-wg. eine durchgreifende Umgestaltung. Zunächst wurde ē auch in das Prät. der Verba der ē-Reihe mit konsonantisch endender Wurzel eingeführt, indem man z. B. von *lētan* nach *slēpan* „schlafen", dessen Prät. nach Ausweis von got. *saízlēp, saíslēp* schon urg. das ē des Präs. angenommen hatte, **lelēt* für **lelōt* bildete. Ferner wurde unbetontes *ai* zu ē, z. B. **héhait* zu **héhēt*, *au* zu ō, z. B. **čauk* zu **čōk*. Dann aber wurde bei allen Verben, die mit einfachem Konsonanten anlauteten, dieser in der Wurzelsilbe durch Dissimilation gegen den anlautenden Konsonanten getilgt, so daß z. B. aus *lélēt *léēt, aus *héhōw „ich hieb" *héōw entstand. Ähnliche Dissimilationen sind gr. ἀγήοχα aus ἀγήγοχα, neubulg. agnea-ta „die Lämmer" aus abg. agnẹta-ta; regelmäßig schwand so air. der Konsonant der Reduplikationssilbe, wenn ihr vor der Partikel ro noch eine Präposition vorausging, wie dort z. B. neben ro leblaing „ich sprang" fo-roiblang steht. Wie in letzterem Falle der Dissimilation eine Kontraktion folgte, so wurde auch nord.-wg. é + ē sowie é + a zu ē², é + ō zu eo kontrahiert; dasselbe geschah natürlich auch bei den vokalisch anlautenden Verben. Vor Doppelkonsonanz, also wo es aus e + a entstanden war, wurde ē² meist zu e gekürzt. Daher entsprechen sich:

Got.	Aisl.	Ags.	As.	Ahd.
haíhait „hieß"	hét	hét	hiet	biaz, biez
laílōt „ließ"	lét	lét	lēt, liet	lēz, leaz, liaz
*faífang „fing"	fekk	fenʒ	feng	fenc, fiang
*haíhau „hieb"	hió	héow	heu	hio, hiu
*waíwōp „schrie"		wéop	wiop, wiep	wiof, wiuf
saísō „säte"	sera*)	séow	seu	

Die Kürzung des ⁻ vor Doppelkonsonanz ist nord. und anglofries. allgemein: daher zu aisl. halda „halten" Prät. helt, afr. helt. Vor ng trat nord. Kürzung zu i ein: aisl. fekk aus *fing (vgl. aschw. fik), Pl. fingom. Auf sächsisch-niederdeutschem Boden ist die Kürzung nur noch westfälisch weiter verbreitet: sonst steht sie meist nur vor ng: daher mnd. gewöhnlich hēlt neben venc. Vor ng kommt die Kürzung auch noch amd. vor wie in fenc neben feal; dagegen herrscht aobd. überall die Länge.

Ags. wurde e vor lc wie in meolcan „melken" = ahd.

---

*) sera ist aus *sezō (vgl. S. 125) entstanden, dessen beide voneinander verschiedene s-Laute nicht dissimiliert werden konnten.

melkan zu *eo*: daher *weolc* „walkte" aus **welc* (wie *fenʒ*) von *wealcan* aus **walcan*. Da *a* vor *l* + Kons. überhaupt z. B. auch in *healdan* „halten" = got. *haldan* in *ea* überging, so wurde bei allen Verben auf *al* + Kons. *eo* in das Prät. z. B. auch in *heold* zu *healdan* eingeführt; daß sich hier mehrere Verba nach einem einzigen seltenen richteten, lag daran, daß so ein Parallelismus zu den Verben mit präsentischem *ea* (aus germ. *au*) geschaffen wurde: *héawan* : *héow* = *healdan* : *heøld*. In ags. *ʒonʒan* „gehen" (got. *gangan*), *bonnan* „bannen" (ahd. *bannan*), in denen *a* vor *n* + Kons. zu *o* geworden war, wurde dies *o* auch in das Prät. eingeführt: *ʒeonʒ* für *ʒenʒ*, *beonn* für **benn*.

Nach dem Muster der mit einfachem Konsonanten oder Vokal anlautenden Verba sind auch die mit Doppelkonsonanz anlautenden behandelt worden: daher z. B. ahd. von *blāsan* „blasen" (nach *lāʒan* „lassen") *blias*, von *hlaufan*, *loufan* „laufen" (nach *houwan* „hauen") *liof*, *liufi*

Die Dissimilation trat ein, als der Typus **lelōt* neben **lelēt* noch nicht ganz verschwunden war, so daß sich noch **leot* neben **lē²t* bildete; danach ist as. **greot*, woraus *griot*, zu ursprünglichem **grātan* (got. *grētan*) „weinen" neben *lātan* geschaffen worden. Das Nebeneinander der Typen **leot* und *lē²t* bewirkte jedoch auch, daß da, wo nur Präterita mit *eo* zu Recht bestanden, auch solche mit *ē²* aufkommen konnten, wie denn von ags. *spówan* „gedeihen" neben *spéow* north. auch *spém* auftritt. Der einzige Repräsentant der konsonantisch auslautenden Verba der *ā*-Reihe im Aisl, *blóta* „opfern" bildet sogar nur noch *blét* gegenüber ags. *bleot*, ahd. *bleoʒ*, weil das letzteren Formen entsprechende **bliót* sich in seinem Vokal nicht vom Präsens unterschied.

Wegen des Eintritts der Dissimilation nur vor Vokalen blieb in der *ē*-Reihe anglisch **rerdun*, **leltun* (vgl. S. 129) auch jetzt erhalten. Da hier die ursprünglichen Singularformen der *ē*-Reihe denen der *ai*-Reihe **héhēt*, **lelēk* („sprang") glichen, so bildeten sich zu letzteren die Pluralformen **hehtun*, **lelkun*. Nach Eintritt der Dissimilation und Kontraktion fielen **réd*, **lét*, da das Anglische auch *ǽ* zu *é* hatte werden lassen, im Vokal mit den Präsensformen zusammen; daher richteten sich hier die Singularformen des Prät. nach dem Pl.: *reord* nach *reordon* (**rerdun*), *leort* nach *leortun* (**leltun*). Daher dann auch dieselbe Ausgleichung in der *ai*-Reihe: *heht* nach *hehton*, *leolc* nach *leolcon*.

b. Schwaches Präterium.

Ein schwaches Präterium bilden germ. die athematischen Verba nebst dem größten Teile der *i̯o*-Klasse. Dasselbe kam durch Umschreibung mit einer Präteritalform der idg. Wurzel *dhē* „setzen, tun" zustande, und zwar mit derjenigen, die noch in ags. *dyde* „tat", as. *deda*, ahd. *teta* vorliegt, wie die Übereinstimmung der got. Pluralendungen z. B. in *salbō-dēdum* „wir salbten" mit as. *dēdun*, *dādun* „taten", ahd. *tātum* zeigt. Ags. *dyde* usw. entspricht wahrscheinlich dem ai. reduplizierten Aorist *ádadhām*, dessen Augment *a-* (gr. *ě-*) als eigentlich selbständiges Wort auch fortbleiben konnte.

Veranlaßt wurde die Bildungsweise dadurch, daß die meisten Verba der *i̯o-* und der *ā*-Klasse erst von Nomina oder anderen Verben abgeleitet worden waren, die abgeleiteten Verba aber ursprünglich nur ein Präs. hatten. Als sich nun hier das Bedürfnis nach einem Vergangenheitstempus einstellte, half man sich mit der Umschreibung durch ein Hilfsverb. Ein solches Verbum kann eigentlich nur an ein Verbalnomen gefügt werden, das in unserem Falle wie in franz. *j'aimerai* „ich werde lieben", eigentlich *j'aimer ai* „ich habe zu lieben", nur ein Infinitiv hätte sein können („wir salbten" = „wir taten salben"). Da aber das Idg. noch keine Infinitive kannte, so wurde dafür der Wortteil gesetzt, der in allen Präsensformen gleichmäßig wiederkehrte und daher als „Stamm" empfunden wurde, wie das auch bei früh gebildeten umschreibenden Tempora anderer idg. Sprachen, z. B. in lat. *amā-bam*, *amā-bō*, geschehen ist. Als Stamm erschienen so bei den *i̯o*-Präsentien die Formen auf *-i*, bei den *ā*-Präsentien die auf *-ā*: got. *sōki-dēdum* „wir suchten", *salbō-*

dēdum „salbten". Da die Kausativa mit den reinen *io*-Stämmen, die Inchoativa mit den *ā*-Stämmen zusammenrannen, so bildeten erstere gleichfalls das Prät. mit *-i-*, letztere mit *-ā-*, (woraus *ō*): got. *nasi-dēdum* „wir retteten", *fullnō-dēdum* „wir wurden voll".

Nach dem schwachen Prät. der abgeleiteten Verba sind solche auch von den primären Verben der *ā*-Klasse gebildet worden. Weiter hat sich auch die ganz oder größtenteils primäre *ēi̯*-Klasse wegen der größeren Ähnlichkeit ihrer Präsensflexion mit der *ā*-Klasse als mit der *o*-Klasse angeschlossen. Die hierhin gehörigen Formen wie ags. *hæfde* „hatte", as. *habda* setzen die reine Wurzel als Stamm. Offenbar haben sich diese Verba der *ā*-Klasse erst angereiht, als sie *ē* vor *i̯* und *n* + Kons. schon zu *a* gekürzt hatten, infolgedessen nur die reine Wurzel in allen Präsensformen gleichmäßig wiederkehrte. Ahd., wo *ē* durch das Präs. neu durchgeführt worden war, ist es auch wieder in das Prät. gedrungen: *habēta*. Got. ist, nach einer nicht mathematisch genauen Proportion nach *nasjis, nasjiþ* zu *nasida* und *sōkeis, sōkeiþ* zu *sōkida* zu *habais, habaiþ* ein *habaida* gebildet worden.

Im urg. Sg. auf *-*dedōⁿ* usw. ging die kurze Reduplikationssilbe durch Haplologie verloren, während sich im Pl. und Du. die lange in *-*dēdume* usw. hielt, wie noch das Got. z. B. in *salbōda, salbōdēdum* zeigt. Nachdem durch das Vernersche Gesetz im Part. Prät. Pass. das *þ* aus idg. *t* (vgl. ai. *sthi-tás*, gr. *στα-τός*, lat. *status*) hinter Vokal *đ* geworden und so mit dem *đ* aus idg. *dh* des schwachen Prät. zusammengefallen war, wurden diese beiden *đ* vom Sprachgefühl assoziiert und nun auch in der *ēi̯*-Klasse, wo im Part. nach Konsonant niemals aus idg. *t* germ. *đ* entstanden sein kann, *đ* eingeführt: daher z. B. ags. *ʒehæfd*, as. *be-habd*. Umgekehrt hat die kleine

Anzahl der neben *io*-Präsentien direkt von der Wurzel gebildeten *tó*-Partizipia, deren *t* nach Konsonant germ. erhalten geblieben war, das Muster für die Präteritalformen abgegeben: daher z. B. neben got. *waúrhts* „gewirkt" (zu *waúrkja*) auch *waúrhta, waúrhtēdum.* Nachdem sich das Got. vom Nord. und Wg. getrennt hatte, wurde in letzterem Gebiete nach dem Muster des einfachen *$dedō^n$, *$dēdum$ nach einer mathematisch nicht genauen Proportion zu *$naↄidō^n$ (ags. *nerede*, as. *nerida*, ahd. *nerita*) ein *$naↄidume$ (ags. *neredon*, as. *neridun*, ahd. *neritum*), zu *$worhtō^n$ (aisl. *orta*, ags. *worhte*, ahd. *worhta*), *$warhtō^n$ (as. *warhta*) ein *$worhtume$ (aisl. *ortom*, ags. *worhton*, ahd. *worhtum*), *$warhtume$ (as. *warhtun*) geschaffen: mitgewirkt hat hierbei wohl die Abneigung gegen lange Endungen, die allein franz. *nous aimerons* für *$nous$ *aimer-avons* gesetzt hat.' Doch wurde krimgot. umgekehrt nach *$dēdum$ zu *$deda$ zu *$warthēdum$ auch wieder ein *$wartheda$, woraus *warthata*, gebildet.

Die Endsilbenvokale des schwachen Prät. sind am deutlichsten nord. geschieden. Aisl. lautet der Sg. z. B. 1. *orta*, 2. *orter*, 3. *orte*: dem *-a* entspricht urn. *-o* in *worahto*, dem *-e* urn. *-e* in *wurte*. In den übrigen Dialekten haben 1. und 3. Sg. den gleichen Vokal, wobei in ags. *worhte* lautgesetzlicher Zusammenfall vorliegt (1. Sg. *$-ō^n$* zu *-e* wie in *tunↄe* „Zunge", 3. Sg. *-ēt* zu *-e*), während die got. 1. Sg. *waúrhta* die Form der 3. Sg., die der as. und ahd. 3. Sg. (as. *warhta*, ahd. *worhta*) die der 1. Sg. angenommen hat. Dem aisl. *orter* (aus *-ēↄ*) entspricht got. *waúrhtēs*, im Vokal auch ags. *worhtes*, während as. *warhtos*, ahd. *worhtōs* herrscht. Im Pl. steht überall Schwundstufe: got. *waúrhtēdum*, *-uþ*, *-un*, aisl. *ortom*, *-od*, *-o*, ags. *worhton*, as. *warhtun*, ahd. *worhtum*, *-ut*, *-un*. Nur das Alemannische hat hier *-ō*: *worhtōm*, *-ōt*, *-ōn*.

c. Präteritopräsentia.

Die durch die Perfektreduplikation bewirkte Doppelung der Wurzel kann ursprünglich nur die wiederholte Handlung bezeichnet haben. Die perfektische Bedeutung entwickelte sich hier daraus, daß man die erste Handlung als in der Vergangenheit, die zweite als in der Gegenwart liegend empfand; doch konnte eine Doppelhandlung dieser Art leicht auch als ganz in die Gegenwart verschoben gedacht werden, wie sich z. B. gr. πεποτήαται eig. „sie sind geflogen und fliegen noch" auch durch „sie flattern" übersetzen läßt. So konnten schon idg. einige Perfekta Präsensbedeutung annehmen: daher z. B. noch ai. *dadhárṣa* „wage" (neben Präs. *dhárṣāmi* „wage"), got. *ga-dars*, wozu auch gr. τεϑάρσηκα „bin voll Mut". Germ. verdrängten die Perfekta dieser Art die gleichbedeutenden Präsentia völlig, so daß z. B. dem lit. Präs. *skeliù* „schulde" got. nur noch das perfektisch flektierende *skal* entspricht.

Neben diesen primären Präteritopräsentien gab es aber idg. auch schon ein sekundäres, bei dem sich die Präsensbedeutung aus der ausgebildeten Perfektbedeutung entwickelt hatte. Es ist *μoïda* „ich weiß", eig. „habe gesehen" (zu lat. *videō*, gr. εἶδον· aus *ἔ-Ϝιδον*), ai. *véda*, gr. Ϝοῖδα, οἶδα, got. *wait*, aisl. *veit*, ags. *wát*, as. *wēt*, ahd. *weiz* (Pl. ai. *vid-má*, gr. ἴδμεν, got. *witum*, aisl. *vitom*, ags. *witon*, as. *witun*, ahd. *wiẕẕum*) aus *μeụoida* durch Haplologie, welche durch die von der Wurzelbedeutung abweichende Perfektbedeutung erleichtert wurde. In den Einzelsprachen gesellten sich hierzu andere sekundäre Präteritopräsentia, so got. *ōg* „fürchte", eig. „bin in Furcht geraten" noch neben *unagands* „furchtlos", eig. „nicht in Furcht geratend".

Alle germ. Präteritopräsentia, die noch die Reduplikation besaßen, haben dieselbe durch die gleiche Haplologie wie die eigentlichen Perfekta verloren. So in der 1. Ablautsreihe got. *lais* „ich weiß", in der 2. got. *daug* „es taugt", ags. *déag*, Pl. ags. *dugon*, ahd. *tugun*, in der 3. got., aisl. *kann* „verstehe", ags. *con*, as., ahd. *kan*, Pl. got., aisl., ahd. *kunnum*, ags. *cunnon*, as. *cunnun*. Die Präteritopräsentia der 4. Ablautsreihe haben die Einführung des *ē* in die Schwundstufenformen nicht mitgemacht, da dies *ē* zum *e* des Präs., das diesen Verben fehlte, in Beziehung gefühlt wurde: got. *ga-man* „erinnere mich", aisl., ags., as. *man* = gr. μέμονα, lat. *memini*, Pl. got. *ga-munum*, aisl. *munom*, ags. *munon*, as. *munun* = gr. *μέμαμεν*, lat. *meminimus*. Entsprechend konnte das zu lat. *nancisci* gehörige Präteritopräsens der a-Reihe got. *ganah* „es genügt", ags. *ʒeneah* die bei den wirklichen Perfekten vom Präsens bewirkte Umbildung des Sg. und Pl. nicht mitmachen: letzterer lautet ags. regelrecht schwundstufig *ʒenuʒon*. Im got. *ga-mōt* „habe Raum" liegt wahrscheinlich ein Präteritopräsens der *ē*-Reihe vor (zu gr. *μήδομαι*), bei dem wegen seiner präsentischen Bedeutung die haplologisch gekürzte Form durchdrang; danach auch der Pl. *ga-mōtum* (entsprechend ags. *mót* „darf", Pl. *móton*, as. *mōt*, Pl. *mōtun*, ahd. *muoʒ* „muß", Pl. *muoʒum*).

Selbst formell starke Präterita, konnten die Präterito-präsentia nur schwache Präterita bilden. Auch hier traten überall Ausgleichungen mit den *tó*-Partizipien ein. So hatte *wait* ein ursprüngliches *tó*-Part., das aber in der Überlieferung nur noch als Adjektiv aisl. *viss* „sicher" (eigentlich „gesehen"), ags. *ʒewiss*, ahd. *gewis* fortlebt (vgl. S. 16): danach ist got., as., ahd. *wissa* „wußte", aisl. *vissa*, ags. *wisse* gebildet worden. So stehen got. auch nebeneinander einerseits *munda* und *munds*, andererseits *kunþa* (*nþ* aus *nnd*) und das ursprüng-liche Part. Prät. *kunþs* „bekannt".

d. Eine Aoristform im starken Präteritum.

In der 2. Sg. Ind. des starken Präteritums hat das Wg. die Perfektform durch eine Form des echten Aorists ersetzt. Es kam das daher, daß das *-tha* der 2. Sg. Ind. Perf. sehr häufig den vorhergehenden Wurzelkonsonanten verändert hatte, so daß diese Form aus dem Perfektsystem herausfiel (vgl. got. *baust* „du botest" von *biudan*, *qast* „du sagtest" von *qiþan*), während der echte Aorist hier wie die übrigen Perfektformen auf den unveränderten Wurzelkonsonanten einen Vokal folgen ließ: gr. *ἔλιπες*, *ἔφυγες*. Den Beweis dafür, daß hier wirklich eine Aoristform vorliegt, liefern die Präteritopräsentia, die auch wg. hier noch die Form auf *-t* (ags. *wást* „du weißt", as. *wēst*, ahd. *weist* wie got. *waist*, aisl. *veist*) erhalten haben: die präsentische Bedeutung hinderte hier das Eindringen einer Aoristform. Der Aorist war germ. augmentlos, wie er auch ai. und gr. vorkam (vgl. homer. *φύγον* neben *ἔφυγον*), und seine Wurzelform stimmte als Schwundstufe in den drei ersten Ab-lautsreihen zum Pl. Ind. und dem ganzen Opt. Perf.; freilich ist die Aufnahme einer seiner Formen in das Perf. erst erfolgt, nachdem dies durch den Reduplikationsschwund ihm lautlich näher getreten war. Die 2. Sg. des Aorists, die auf den Themavokal -e- ein -s als Personalendung folgen ließ (vgl. gr. *φύγες*), machte germ. dies -s zu -z, das nach Übergang des unbetonten e in i im Auslaut schwand. So erklären sich as., ahd. *stigi* „stiegst", *kuri* „wähltest", as. *bundi* „bandest", ahd. *bunti*, ags. *stîge, cure, bunde*. Da diese Formen in den Wurzelsilbenvokalen zum Pl. Ind. und ganzen Opt. Perf. stimmten, so wurde auch in der 4., 5. und 6. Ablautsreihe, in welcher im Pl. Ind. und ganzen Opt. Perf. lange Vokale standen, durch Anhängung von -i an die diese Vokale enthaltenden Wurzelformen eine neue 2. Sg. Ind. gebildet: as., ahd. *bāri* „trugst", as. *lāsi* „lasest", ahd. *lāri*, as., ahd. *fōri* „fuhrst", ags. *bǣre, lǣse, fôre*. Endlich drang das -i auch bei den urg. reduplizierten Perfekten durch: as. *hēti* „hießest", ahd. *hiazi*, ags. *hête*. Alle diese Formen sind erst geschaffen oder neu geschaffen worden, nachdem wg. -i nach langer Silbe geschwunden war.

3. Die Modi und die Verbalnomina.

Von den idg. Modis besaß der Indikativ kein besonderes Kennzeichen, der Imperativ nur in gewissen Formen. Auch der Konjunktiv brauchte nur durch die Art seiner Personalendungen vom Indikativ unterschieden zu sein (dann „Injunktiv" genannt); daneben gab es freilich auch echte Konjunktive, wie sie noch in gr. *φέρωμεν, φέρητε*, lat. *ferāmus, ferātis* vorliegen. Der idg. Optativ war stets durch -*i̯ē*-, schwundstufig -*ī*-, das vor der Personalendung stand, gekennzeichnet.

Da sich Konj. und Opt. in ihrer Bedeutung nahe standen — der erstere bezeichnete hauptsächlich ein Wollen, der letztere entweder einen Wunsch oder eine gemilderte Behauptung —, so sind sie germ. (wie auch lat.) zu einem einzigen Modus verschmolzen. Da dem germ. Mischmodus bei den meisten Verben der idg. Opt. zugrunde liegt, so nennt man ihn meistens Optativ.

A. Optativ.

a. Opt. Präs.

Im Opt. Präs. der thematischen Verba erscheint idg.
der Themavokal durchweg als *o*, das Optativsuffix schwundstufig als *ī*, woraus sich kontrahiert *oī* ergab: gr. φεύγοις,
φεύγοι. Dies -*oī*- ist germ. -*aī*- geworden und so auch
got. erhalten, nord.-wg. aber in unbetonter Silbe weiter
in -*ē*-, z. T. noch weiter in -*e*- übergegangen: got. *baírais*
„du mögest tragen", aisl. *berer*, ags. *bere*, as. *beres*, ahd.
berēs. Eine Abweichung zeigt nur gotonord. die 1. Sg.,
wo statt des -*ai* ein -*au* (woraus nord. -*a*) steht: got.
baírau, aisl. *bera*, aber ags., as., ahd. *bere*.

Gotonord. **berau* scheint eine ursprüngliche Medialform
gewesen zu sein, die, als im Medium die 3. Sg. die Funktion
der 1. mitübernahm, von den Imperativformen auf -*au* attrahiert, ins Aktiv mitüberging. Dann ist **berau* nach der aus
Medialformen gebildeten Proportion entstanden: 2. Sg. Ind.
*berazai, 3. Sg. Ind. **beraðai*: 1. Sg. Ind. **berai* = 2. Sg.
Opt. **beraizau*, 3. Sg. Opt. **beraiðau*: 1. Sg. Opt. **berau*.
Bei den *ēi*-Verben wurde das optativische -*ī*- an den
verkürzten Stamm auf -*ē*, bei den *nāi*-Verben entsprechend
an den auf -*nā* gefügt. Da *ēi* und *āi* (letzteres über *oī*)
germ. *aī* werden muß, so stimmen die Opt. der *ēi*-Klasse
überall, gotonordisch auch die der *āi*-Klasse mit denen
der thematischen Verba überein: 2. Sg. got. *habais*, *wak-
nais*, aisl. *hafer*, *vakner*, ags. *hæbbe*, as. *hebbies*, ahd. *habēs*.
Die 1. Sg. wird gotonord. auch hier auf -*au* gebildet: got.
habau, *waknau*, aisl. *hafa*, *vakna*.
Bei den *ā*-Verben, denen sich wg. de *nāi*-Verba
angeschlossen haben, hätte idg. *ā* + *ī* über *āī* und *oī*
germ. *ai* ergeben müssen. Aber in diesen Formen war
der sonst überall wieder durchgedrungene Kennvokal dieser
Klasse *ō* nicht vorhanden. Da nun der Opt. die konjunk-
tivische Funktion mitübernommen hatte, der Konj. aber

nicht mit einem Schlage verschwunden sein kann, so
waren eine Zeitlang Opt. und Konj. iu gewissen Verwen-
dungen gleichberechtigt: das aber konnte dazu führen,
daß, wo der Konj. sich besser als der Opt. in das Verbalsystem fügte, ersterer anstatt des letzteren die Allein-
herrschaft erlangte: daher got., ahd. *salbōs* „du mögest
salben", as. *salbos*. Auch in der 1. Sg. steht hier got.
nicht -*au*, sondern -*ō*, z. B. *salbō* = as. *salbo*, ahd. *salbo*,
während doch die 1. und 3. Pl. dureh die speziell got.
Optativendungen -*ma*, -*na* gekennzeichnet worden sind
(*salbōma*, *salbōna*). Diese Form auf -*ō* ist wahrscheinlich
als Injunktiv anzusehen ähnlich wie ai. *prā̆-s* „du mögest
füllen" zu *á-prā̆-t* „er füllte".

Das im Aisl. die *ā*-Klasse ihren einheitlicheu Kennvokal verloren hatte, verschaffte sich hier eine strengere
Modusscheidung Geltung: nach dem Verhältnis des Ind.
Pl. *berom*, *beređ*, *bera* zum Ind. Pl. *kallom*, *kalleđ*, *kalla*
wurde auch zum Opt. Pl. *berem*, *beređ*, *bere* ein Opt. Pl.
kallem, *kalleđ*, *kalle* und dazu weiter ein Sg. *kalla*, *kaller*,
kalle nach *bera*, *berer*, *bere* geschaffen. Ist doch aobd.
selbst an den Kennvokal *ō* noch das zum allgemeinen
Optativzeichen gewordene *e* angetreten (*salbōe*), speziell
alemannisch dann auch an *ē* der *ēi̯*-Verba (*habēe*).

Ags. ist in der *ā*-Klasse von den Indikativformen
mit -*i̯o*- her dies auf den Opt. übertragen worden: **seal-
foie*, **sealfoien*, woraus *sealfie*, *sealfien*. Die ags. Endungen
sind auch in das As. übergegangen (vgl. S. 27 f.), wo
salboie, *salboien* neben *salbo*, *solbon* stehen.

In der Wurzelklasse muß idg. im Sg. das Optativsuffix,
im Pl. die Personalendung betont gewesen sein, da dort *i̯ē*,
hier *ī* steht: alat. *sii̯ēs* „du seiest", aber *sīmus*. Germ. ist die
Schwundstufe des Optativsuffixes auch in den Sg. gedrungen:
daher ags., as., ahd. *sī* „ich sei" nach *sīn* „wir seien". Got.
ist dann diese im Opt. Präs. alleinstehende Flexion in die

thematische Klasse durch Anhängung von deren Endungen an den Optativstamm *sī*- übergeführt worden, wobei das *ī* vor Vokal sich in *iį* aufgelöst hat: *sijau, sijais* usw.

b. Opt. Prät.

Der idg. Opt. Perf. hatte im Sg. -*i*̯-, im Du. und Pl., wo der Ton auf der Personalendung lag, -*ī*- als Moduzeichen; die Wurzelform war schwundstufig. Germ. ist -*ī*- auch im Sg. durchgedrungen: got. *bundeis* „du bändest", aisl. *bynder*, ags. *bunde*, as. *bundis*, ahd. *buntīs* wie *bundeima* „wir bänden", *byndem*, *bunden*, *bundin*, *buntīm*. In die 1. Sg. ist hier gotonord. -*au* von der 1. Sg. Fräs. aus übertragen worden, doch so, daß das optativische *ī* davor als *į* erhalten blieb: got. *bundjau*, aisl. *bynda* neben ags. *bunde*, as. *bundi*, ahd. *bunti*.

Da der Opt. die Schwundstufe der Wurzel mit dem Pl. Ind. teilt, so hat er alle dessen Veränderungen mitgemacht: daher z. B. got. *bērjau*, *bēreima* wie *bērum* und so auch bei den schwachen Verben got. *salbōdēdjau*, *salbōdēdeima* wie *salbōdēdum*, ahd. *salbōti*, *salbōtīm* wie *salbōtum*.

Die Beziehung, in der der ganze Opt. Prät. zum Pl. Ind. Prät. gefühlt wurde, hat es auch veranlaßt, daß die 1. und 3. Sg. des ersteren alemannisch auf -*ī* auslautet. Es war hier -*ō*- vom Pl. Ind. Prät. eingedrungen und mit dem optativischen -*ī* zu einem überlangen *ī* kontrahiert worden, das nicht bis zu *i* gekürzt werden konnte.

B. Imperativ.

Der idg. Imperativ setzt sich aus verschiedenen Gebilden zusammen.

1. Als 2. Sg. fungierte der reine Stamm sowohl bei den thematischen Verben wie in ai. *bhára*, gr. *φέρε*, lat. *lege*, als auch bei den athematischen wie in gr. *ἴστη*, lat. *ī*, *plantā*, *habē*.

Germ. fiel unmittelbar ausl. -*e* ab, noch bevor un-
betontes *e* zu *i* wurde, als welches es wg. nach kurzer
Silbe hätte bleiben müssen; daher fehlt auch bei den
Imperativen der thematischen Verba nord.-wg. der
Wandel des wurzelhaften *e* zu *i*: got. *bair*, aisl., ags.,
as. *ber*; ahd. *bir* ist an *biris* „du trägst" angelehnt.

Bei den kurzstämmigen *i̯o*-Verben hat das Ags. -*e*,
z. B. in *freme*, bei den langstämmigen keine Endung,
z. B. in *sēc* „suche": es hat hier also wg. ausl. -*i* gestanden, die Schwundstufe von *i̯e* wie in *fremes*, *fremeđ*
(vgl. S. 120 f.); as. und ahd. ist hier -*i* überall durchgeführt worden: as. *fremi*, *sōki*, ahd. *frumi*, *suohhi*.
Aisl. ist die endungslose Form allgemein durchgedrungen:
tem, *søk*. Got. ist -*ei* verallgemeinert worden, das wohl
nur über -*i̯e* aus dem -*ei̯e* der Kausativa entstanden sein
kann.

Die athematischen Verba stimmen germ. zum übrigen Idg.: so got. *salbō* mit analogisch wiederhergestelltem
-*ō* usw.

2. Für die 2. Du., 1. und 2. Pl. setzte das Idg. Injunktivformen: daher lautet hier auch noch germ. der Imperativ wie der Ind. Ags. hat hier die 1. Pl., die im Ind.
durch die 3. Pl. ersetzt worden ist, noch ihre alte Form erhalten: *beram* „laßt uns tragen" neben *berađ* „wir tragen".

3. Die 3. Sg. und Pl. konnten idg. auch durch Antritt
des Elementes -*au*, schwundstufig -*u*, an die Injunktivformen
gebildet werden. Das -*u* ist in ai. Aktivformen (*bháratu*
„er soll tragen", *bhárantu* „sie sollen tragen") erhalten, das
-*au* in got. Aktivformen wie *atsteigadau* „er soll herabsteigen",
liugandau „sie sollen heiraten". Letztere scheinen jedoch aus
Medialformen hervorgegangen zu sein, wie denn den aktivischen
Personalendungen im Ind. Präs. auf -*i* mediale auf -*ai* gegen-
überstehen; der Übergang gerade von Imperativformen aus
dem Medium ins Aktiv erklärt sich aus der dynamischen Funktion
des ersteren.

C. Partizipien.

a. Part. Präs. Akt.

Das Part. Präs. Akt. wurde idg. auf -*nt*- gebildet, das bei den thematischen Verben an -*o*- antrat: gr. φέϱων, φέϱο-ντ-ος. Dem entspricht got. *bairands*, aisl. *berande*, ags. *berende*, as. *berandi*, ahd. *beranti*. Bei den *ā*-Stämmen entstand idg. -*ānt*-, woraus germ. -*ōnd*-, weiter -*and*-: aisl. *kallande*. Wiederhergestellt ist das *ō* auch hier got. (*salbōnds*), as. (*salbondi*) und ahd. (*salbōnti*); ags. steht auch hier die *i̯o*-Form (*sealfiende*). Bei den Inchoativen hat auch das Got. *a* (*waknands*) gewahrt. In der *ēi̯*-Klasse ist idg. -*ēnt*- germ. -*and*-geworden: got. *habands*, aisl. *hafandi*. In ags. *hæbbende* deutet die Konsonantendehnung wieder auf *i̯o*-Suffix von der 1. Sg. Ind. Präs. her; ebenso ist as. *libbiandi* „lebend" aus der gleichen Klasse aufzufassen. In ahd. *habēnti* ist das *ē* analogisch wiederhergestellt worden; dagegen hat *fiant* „Feind", eigentlich „der Hassende", die lautgesetzliche Gestalt bewahrt, weil es nicht mehr als Form von *fiēn* „hassen" empfunden wurde.

Das Part. Präs. bildete idg. sein F. auf -*i̯ē*, Schwundstufe -*ī*; ai. Nom. Sg. M. *bháran* (Akk. *bhárantam*), F. *bhárantī*. Gotonord. wurde -*ī* zu -*īn* erweitert und danach auch ein M. und N. schwach gebildet; got. *bairanda*, *bairandei*, *bairandō* (nur im Nom. Sg. M. auch noch *bairands*; vgl. *fijands* „Feind"), aisl. *berande*, *berande*, *beranda*. Wg. trat -*i̯ā* für -*i̯ē* ein (vgl. S. 79), wodurch M. und N. -*i̯o* annahmen: ags. *berende*, *berendu*, *berende*, as. *berandi*, *berandi*, *berandi*, ahd. *berantēr*, *berantiu*, *berantaz* (unflektierte Form *beranti*).

b. Part. Prät. Pass.

Das Germ. hat zwei verschiedene Endungen für das

Part. Prät. Pass. aus dem Idg. ererbt: -onó- (-éno-) und
-tó-. Von diesen kommt das erstere auch ai. (mit Reduplikation) z. B. in *vavṛtānás* „gedreht" sowie abg. z. B. in
nesenŭ „getragen" vor, das letztere ai., gr., lat.: ai. *syūtás*
„genäht", gr. ἀγαπητός, lat. *amātus*. Nachdem idg. -tó-
germ. -đó- geworden, wurde es dem đ des schwachen
Prät. in der Weise assoziiert, daß Partizipien auf -đó-
nur noch zu schwachen, solche auf -onó- nur noch zu
starken Prät. gebildet wurden. Daß die Part. auf -tó-
sich ursprünglich auch auf die starken Verba erstreckt
hatten, zeigen aus dem Verbalsystem ausgeschiedene
Formen wie das got. Adverb *un-sahta-ba* „unbestritten"
zu *sakan* „streiten".

Idg. -o- vor -no zeigen das Got. (*haitans* „geheißen"),
As. (*gihētan*) und Ahd. (*giheiʒʒan*), dagegen -e- das Nord.
(urn. *haitinaʀ*, aisl. *heitenn*). Das Altags. schwankt zwischen *œ* aus germ. *a* (z. B. in *ʒibéatœn* „geschlagen")
und *i* aus germ. *e* (z. B. in *numin* „genommen"); im
späteren Ags. sind beide Laute in *e* zusammengeronnen
(z. B. in *háten*).

Die Wurzelsilbe der Part. auf -onó-, -éno- hatte idg.
Schwundstufe, wie ai. *vavṛtānás* zeigt. Wo hier kurzer
Vokal zwischen zwei Geräuschlauten (Spiranten und
Verschlußlauten) stand, konnte er nicht ganz schwinden,
sondern mußte ə werden (vgl. die Entstehung von got.
sētum S. 126). Nachdem germ. die Wurzel als Anfangssilbe den Hauptton erhalten hatte, ging dies ə in *a* über
und fiel so in der *a*-Reihe mit präsentischem *a* zusammen:
got. *skabans* wie *skaba*. Von da wurde es auf alle Verba
mit präsentischem *a* übertragen: got. *fara, farans*; *haita,
haitans*; *auka, aukans*; *halda, haldans*. Bei den letzten
drei Klassen wirkte das Prät. mit. Der 6. Ablautsreihe
(*skaba, fara*) schlossen sich dann auch noch in der

Gleichformung des Part. Prät. mit den Präs. die *ē*- und die *ā*-Reihe an, weil sie mit jener die Gleichheit im Wurzelvokal beim Sg. und Pl. Prät. teilten: got. *lēta*, *lētans*; *flōka*, *flōkans*.

In der *e*-Reihe zeigen die vier ersten Ablautsreihen regelrechte Schwundstufenformen: got. 1. *stigans*, 2. *budans*, 3. *bundans*, *waúrþans*, 4. *numans* (idg. *nmm-onó-s*), *baúrans* (idg. *bhr̥r-onó-s*).

Wo dagegen wurzelhaftes *e* zwischen zwei Geräuschlauten über idg. *ə* germ. *a* geworden war, fiel dies *a* ganz aus dem System der *e*-Reihe heraus, und so wurde auch hier, besonders nach Vorbild der *ē*-Reihe, der Präsensvokal in das Part. Prät. eingeführt: got. *giba* „gebe", *gibans* (aus *geba*, *gebans*; vgl. ahd. *gebamēs* „wir geben", *gigeban*). Noch weniger in das System paßten Partizipien von Wurzeln mit Liquida oder Nasal vor und Geräuschlaut hinter dem *e*, bei denen sich also *ol*, *or*, *om*, *on* neben *le*, *re*, *me*, *ne* entwickeln mußten; daher erhielten auch sie das *e* des Präs.: got. *lisa*, *lisans* (ahd. *lesamēs*, *gilesan*).

Die nord.-wg. Dialekte haben die dem Got. entsprechenden Formen. Da auch urn. -*an*- aus idg. -*on*- mit -*in*- aus idg. -*en*- in der Deklination gewechselt haben muß, so zeigt sich aisl. nirgends Einfluß des *i* auf den Tonvokal; auch ags. kommt letzterer nur bisweilen im *i*-Umlaut z. B. in *cymen* „gekommen" neben *cumen* zum Vorschein. Die Part. der fünf ersten Ablautsreihen lauten demnach:

	Got.	Aisl.	Ags.	As.	Ahd.
1.	stigans	stigenn	stiʒen	gistigan	gistigan
2.	budans	bodenn	boden	gibodan	gibotan
3a.	bundans	bundenn	bunden	gibundan	gibuntan
3b,c.	waúrþans	vorđenn	worden	wordan	wortan
4a.	numans	nomenn	numen	ginoman	ginoman
4b,c.	baúrans	borenn	boren	giboran	giboran
5.	lisans	lesenn	lesen	gilesan	gileran

D. Infinitiv und Gerundium.

In den Einzelsprachen sind Infinitive da entstanden,
wo bestimmte Kasus bestimmter Verbalsubstantiva die
Rektion ihres Verbums übernommen haben. Das Germ.
kennt nur einen Inf. Präs. Akt., der aus einem Akk. Sg.
eines Neutrums auf -*no*- hervorgegangen ist. So entspricht
dem ai. *bháraṇam* „das Tragen" got. *bairan* „tragen",
aisl. *bera*, ags., as., ahd. *beran* (idg. **bhéro-no-m*).

Wie *beran* zeigt, fügten die thematischen Verba -*no*-
an den Themavokal -*o*-. Die *ā*-Klasse setzte es zu -*ā*-:
got., ahd. *salbōn*, aisl. *kalla*. Das Ags. hat auch hier
-*i̯o*-: *sealfian* aus **sealfoian*, woraus sich wieder as.
salḃoian neben *salḃon* erklärt. Bei der Inchoativen hat
das Got. -*ōn* durch -*an* ersetzt: *waknan* nach *waknand*,
waknands. Die -*ē̯i̯*-Verba zeigen ahd. regelrecht -*ē-n*
z. B. *habēn*, während got. *haban* wieder Anschluß an
haband, *habands* aufweist. Ags. *habban* für **hebban* aus
*hebbian nebst as. *hebbian* zeigt wieder *i̯o*-Suffix, das
sich hier über die gleichen Formen wie in der *ā*-Klasse
verbreitet hat. Aisl. *hafa* hat für -*e* aus -*ēn* die allgemeine
Infinitivendung -*a* erhalten.

Das Wg. hat von neuem eine Deklination des Infinitivs
eingeführt, das sog. Gerundium. Ausgegangen ist dies von
der häufigen Verbindung von ags. *tó* „zu", as. *te*, ahd. *za*,
ze, *zi* mit dem Infinitiv. Da diese Präposition sonst stets
eine Form mit Dativendung bei sich hatte, so wurde auch
der ihr folgende Infinitiv mit einer solchen versehen. Den
nächsten Einfluß übten dabei die dem Infinitiv durch ihre
farblose Bedeutung vielfach sehr nahe stehenden mit *ga*- zusammengesetzten neutralen *i̯o*-Stämme wie ahd. *gikōsi* „Ge-
plauder" neben *kōsōn* „plaudern", ags. *ʒerýne* „Geheimnis",
eig. „Geflüster", ahd. *girūni* neben ags. *rúnian* „flüstern", ahd.
rūnēn, infolgedessen der Dativ die Endung -*i̯e* erhielt, die
noch an der Dehnung des vorausgehenden -*n* zu erkennen ist:
ags. *tó beranne* „zu tragen", as. *te beranne*, ahd. *zi beranne*.
Deutsch wurde nach dem Dat. auch ein Gen. geschaffen: as.

berannias (mit noch erhaltenem *i̯*) „des Tragens", ahd. *berannes*. Ahd. wurde dazu auch noch ein Instr. auf -*nnu* gebildet.

4. Personalendungen.

Sowohl im Aktiv wie im Medium gab es idg. zweierlei Endungen, primäre und sekundäre, von denen erstere letzteren gegenüber vielfach durch ein ausl. -*i* charakterisiert waren. Von den germ. erhaltenen Formen hatte primäre Endungen nur der Ind. Präs., sekundäre der Ind. Aor., der konjunktivisch gebrauchte Injunktiv, der ganze Opt. und der Du. und Pl. Ind. Perf. Eigene Endungen hatte der Sg. Ind. Perf. Akt.

A. Aktivum.

a. Singular.

α. Erste Person.

Im Ind. Präs. hatten hier idg. nur die athematischen Verba die Primärenduug -*mi*, während die thematischen endungslos waren, dafür aber das thematische *o* dehnten: gr. *εἰμί*, aber *φέρω*. Dem entspricht das Verhältnis von got. *im*, aisl. *em*, ags. *eom*, as. *bium*, ahd. *bim* (mit *b*- von der idg. Wurzel **bheu̯* „werden") und got. *baíra*, aisl. *ber*, anglisch *beoru*, as., ahd. *biru*. Auf -*mi* geht auch das -*m* der athematischen Verba des Ahd. wie in *habē-m* und *salbō-m* zurück, auch das -*n* von as. *salbo-n*.

Mit der Sekundärendung -*m* war idg. besonders der Ind. Aor. und Imperf. gebildet: ai. *á-bhara-m* = gr. *ἔ-φερο-ν*. Dies -*m* ist geschwunden in ags. *dyle* „ich tat", as. *deda*, ahd. *teta*, also auch im schwachen Prät.

Der Ind. Perf. hatte -*a*: ai. *riréca* = gr. *λέλοιπα*. Germ. fiel -*a* ab: got., aisl., as., ahd. *bar* „ich trug", ags. *bær*.

β. Zweite Person.

Primär idg. -*si*: gr. *ἐσ-σί*. Lag der Ton auf der Wurzelsilbe, so entstand germ. -*z*; lag er auf dem Themavokal oder Präsenssuffix (-*ā*-, -*ēi*-, -*nāi̯*-), so blieb -*s*. Wg. ist -*s*, aisl. -*z* durchgeführt; got. -*s* ist doppeldeutig: ags. *bires* „trägst", as., ahd. *biris*, aisl. *berr*, got. *baíris*.

Sekundär idg. -*s*: gr. *ἔ-φυγε-ς*, *ἔ-φερε-ς*. Germ. verteilen sich hier -*s* und -*z* nicht den idg. Akzentverhältnissen entsprechend. Wahrscheinlich wurden zunächst im Opt. Präs.,

wo bei den wurzelbetonten thematischen Verben *-z*, bei den
auf dem Themavokal betonten *-s* entstehen mußte, *-s* und *-z*
durcheinander gebraucht, dann diese Doppelheit überallhin in
die 2. Sg. übertragen und hierauf in verschiedener Weise aus-
geglichen. Da got. *-s* und *-z* als *-s* zusammenfielen, sind alle
got. Formen doppeldeutig. Im Opt. Präs. selbst siegte aisl.
und ags. das *-z*, as. und ahd. das *-s*: got. *bairuis*, aisl. *berer*,
ags. *bere*, as. *beres*, ahd. *berēs*. Sicher auf Einfluß von dort-
her beruht es, wenn der Opt. Prät., der stets *-s* haben sollte,
die gleiche dialektische Verteilung zeigt: got. *bēreis*, aisl. *bǣrer*,
ags. *bǣre*. as. *bāris*, ahd. *bārīs*. Der geographischen Verteilung
dieser Formen kommt es auch nahe und ist der im Ind. Präs.
gleich, wenn im Ind. des schwachen Prät. das Aisl. *-z* und
nur das Wg. das zu erwartende *-s* zeigt: got. *salbōd⁻s*, aisl.
kalluder, ags. *sealfodes*, as. *salbodos*, ahd. *salbōtōs*. Auch im
wg. Ind. Prät. der starken Verba begreift sich *-z* für *-s* bei
ags. *bǣre* wohl wieder aus der geographischen Verteilung, bei
as., ahd. *bāri* aber vielleicht aus einem gewissen Einfluß der
Präteritopräsentia, wo im Opt. *-s* seit alters stand, im Ind.
aber in dem *-t* jedenfalls ein Unterschied vom Opt. vorhanden war.

Das Perf. hatte idg. *-tha*: ai. *rir⁻citha*, gr. οἶσθα. Germ.
wurde *-tha* nach *s, h, f* zu *t*: ags. *dears-t* „wagst“, ahd. *gitarst*,
got. *last* „last“, aisl. *mátt* (aus **mah-t*) „kannst“, ags. *meaht*,
as., ahd. *maht*, got., aisl. *þarft* „bedarfst“, ags. *ðearft*, as. *tharft*,
ahd. *darft*. Von hier aus ist *-t* schon urg. verallgemeinert
worden: got., aisl. *skalt* „sollst“, ags. *scealt*, as., ahd. *scalt*.
Erhalten ist germ. *þ* aus idg. *th* in aisl. *skall* aus **skalþ* (neben
skalt) und *monn* „wirst“ aus **monþ* (neben *mont*) sowie in
ags. *eard* (idg. **ortha*) „bist“, das sich mit Formen einer anderen Wurzel (*béo* „bin“, *bið* „ist“) verbunden hatte und so
den übrigen Präteritopräsentien ferner getreten war; doch
kommt auch hier *eart* vor.

γ. Dritte Person.

Primär idg. *-ti*: ai. *ás-ti*, gr. ἐσ-τί. Germ. entstand bei
Betonung der Wurzelsilbe *-ð*, des Themavokals oder Präsens-
suffixes *-þ*; das *-ð* wurde got., wo es ausl. *-þ* werden mußte,
doch später auch wieder *d* geschrieben wurde, sowie ahd., wo
es über *d* in *t* überging, durchgeführt, das *þ* (geschrieben *ð*)
dagegen ags.; as. steht *-d*, *-t* aus *-ð*, aber auch *-ð* aus *-þ*: got.
bairiþ „trägt“, ags. *bireð*, as. *birid* (*-t*, *-ð*), ahd. *birit*.

Sekundär idg. -*t*: lat. *era-t*, alat. *siē-t* „er sei“ = ai. *syā́t-*.
Germ. schwand -*t*: Opt. Präs. got. *bairai*, aisl., ags., as., ahd.
bere; Opt. Perf. got. *bēri*, aisl., ags. *bǣre*, as., ahd. *bāri*.

Im Perf. idg. -*e*: ai. *rirḗca*, gr. λέλοιπε. Das -*e* ist germ.
im absoluten Auslaut, noch bevor unbetontes *e* zu *i* wurde,
geschwunden. Daher stets gleich der 1. Sg.: got., aisl., as.,
ahd. *bar*, ags. *bær*.

b. Dual.

α. Erste Person.

Primär idg. -*u̯es*: ai. *bhárāvas* „wir beide tragen“. Aus
idg. -*ō-u̯es* (neben -*o-u̯es*) wurde germ. -*ō-u̯iz*, daraus -*ōu̯z*,
daraus -*ūz*, daraus got. -*ōs*: *bairōs*.

Sekundär idg. -*u̯e*: *ábharāva* „wir beide trugen“. Im
germ. Prät. trat *u* vor -*u̯e* nach dem Pl. (got. -*um*, -*uþ*, -*un*);
aus -*uu̯e* wurde -*u*: got. *magu* „wir beide können“, urn. *wa-
ritu* „wir beide ritzten“. Neben -*u̯e* stand auch die Dehnstufe -*u̯ē*, woraus got. -*wa* im Opt.: *sitaiwa* „wir beide mögen
sitzen“.

β. Zweite Person.

Primär idg. -*thes*: ai. *bhára-thas* „ihr beide tragt“. Got.
erscheint hierfür -*ts*: *bairats*. Auch sekundär steht nur -*ts*
gasēhvuts „ihr beide saht“, *wileits* (eigentlich Opt.) „ihr beide
wollt“. Auch das -*u*- von -*uts* beruht auf Angleichung an
den Pl. Perf. Das *th* von -*thes* war *t* geworden nach *s*, *h*,
f und dann überall durchgedrungen (vgl. S. 148).

c. Plural.

α. Erste Person.

Primär idg. -*mes*: ai. *bhárāmas* „wir tragen“, dor. φέρομες.
Germ. ward -*s* zu -*z*, *e* schwand, -*mz* ergab -*mm*, -*m* (wie im
Dat. Pl.): got. *bairam*, aisl. *berom*. Die Dehnstufe -*mēs* erscheint in ahd. *beramēs*, wobei sich das *s* aus Betonung der
pluralischen Personalendung bei den athematischen Verben
erklärt.

Sekundär neben idg. -*men* wie in gr. ἐφέρομεν auch -*me*
wie in ai. *ábharāma* „wir trugen“; dies -*me* war auch perfektisch wie in ai. *vid-má* „wir wissen“. Germ. wurde -*me* im
Perfektum nach Konsonanten zu -*m̥*, dies zu -*om*, -*um*: got.

bērum, aisl. *bǫrom,* ahd. *bārum.* Auch idg. -*me*: lit. *sŭko-mē-s*
„wir drehten uns" neben *sŭkome* „wir drehten". Dies liegt
dem -*ma* des got Opt. zugrunde: Präs. *baíraima,* Prät. *bēreima.*
Das Aisl. und Ahd. haben auch hier -*m*: aisl. *berem, bǽrem,*
ahd. *berēm, bārīm.*

β. Zweite Person.

Primäres idg. -*the* (ai. *bháratha* „ihr tragt") und sekundäres -*te* (ai. *ábharata* = gr. ἐφέρετε) sind germ. als -*þe,* das
weiter bei Wurzelbetonung -*de* ergab, zusammengefallen. Das
aus letzterem entstandene -*đ* ist überall durchgedrungen: got.
baíriþ „ihr tragt", *baíraiþ* „möget tragen", *bëruþ* „trugt", *bēreiþ*
„trüget", *salbōþ* „salbt"; daß -*þ* hier nur im Auslaut für -*đ*
steht, wird durch Formen wie *qiþid-uh* „ihr sagt ja" bewiesen;
entsprechend steht ahd. stets -*t.* Deshalb ist auch aisl. -*đ*
hier als germ. *đ* aufzufassen. Das *u* von got. *bēruþ,* aisl.
bǫrođ, ahd. *bārut* beruht auf Angleichung an die 1. und 3. Pl.

γ. Dritte Person.

. Primär idg. -*nti*: ai. *bháranti* „sie tragen", dor. φέροντι.
Bei Betonung der Wurzelsilbe entstand germ. hieraus -*nđi,*
bei der des Themavokals oder Präsenszeichens -*nþi*: ersteres
ist in got. *baírand,* ahd. *berant,* letzteres in ags., as. *berađ*
erhalten, wobei *n* vor *þ* geschwunden ist (vgl. got.
munþs „Mund", ags. *múđ,* as. *mūđ*). Nord. schwand das -*i* von
*berandi oder *beranþi in dritter Silbe schon sehr früh, dann
auch der Spirant nach *n,* so daß schon urn. *beran entstand,
woraus aisl. *bera* wurde (vgl. Inf. *bera* = got. *baíran*).
Sekundär idg. -*nt*: lat. *ferēbant.* Das -*t* schwand urg.;
-*n* steht nach Vokal, also in den Optativen: Präs. ags., as.
beren, ahd. *berēn,* aisl. *bere* (aus *beren), Prät. ags. *bǽren,*
as. *bārin,* ahd. *bārīn,* aisl. *bǽre* (aus *bǽren). Das Got. hat
an dies ·*n* noch ein -*a* gefügt nach der 1. Pl. auf -*ma*:
baíraina, bēreina. Nach Konsonanten mußte idg. -*nt* zu -*n̥t,*
dies germ. über -*on* zu -*un* werden: daher im Ind. Prät. got.
bērun, aisl. *bǫro,* ags. *bǽron,* as., ahd. *bārun.*

B. Medium.

Got. sind nur diejenigen medialen Personalendungen erhalten, die idg. primär auf -*ai,* sekundär auf -*o* ausgingen, sich
aber in ihren Konsonanten glichen. So 2. Sg. idg. primär -*sai*

(gr. φέρεαι aus *φέρεσαι, ai. *bhárasē*), sekundär *-so* (gr. ἐφέρεο aus *ἐφέρεσο, abktr. *barae-ša*), 3. Sg. primär *-tai* (gr. φέρεται ai. *bhárate*), sekundär *-to* (gr. ἐφέρετο, ai. *ábhara-ta*), 3. Pl. primär *-ntai* (gr. φέρονται, ai. *bhárantē*), sekundär *-nto* (gr. ἐφέροντο, ai. *ábharanta*). Die germ, Endungen setzen überall Wurzelbetonung voraus. Im Opt. ist für idg. -o in Anlehnung an die ursprünglich medialen Imperativformen auf *-au* (vgl. S. 142) gleichfalls *-au* eingetreten: 3. Sg. *bairaidau*, 3. Pl. *bairaindau* und danach auch 2. Sg. *bairaizau*. Im Ind. mußte *-ai* in dritter Silbe *-a* werden: daher 3. Pl. *bairanda*. In der 2. und 3. Sg. wäre als Themavokal got. *i* (idg. *e*) zu erwarten; da aber bis auf diesen Vokal ein genauer Parallelismus zwischen den Medialformen des Ind. und des Opt. stattfand, der in letzterem durchweg enthaltene Themavokal *a* auch bereits im Ind. Pl. stand, so wurde dieser auch in den Sg. eingeführt: daher 2. Sg. *bairaza*, 3. *bairada*.

Die idg. Endung der 1. Sg. Ind. Med. *-ai* (ai. *-ē* z. B. *bharē* „werde getragen") ist nur in aisl. *heite* „werde genannt" neben *heit* „nenne, rufe" erhalten. Die Erhaltung erklärt sich aus dem Übergang in die aktivische Bedeutung „heiße"; daher auch aktivische (schwache) Flexion *heiter* „du, er heißt" neben *heitr* „rufst, ruft".

Sammlung Göschen
Je in elegantem Leinwandband **80 Pf.**

G. J. Göschen'sche Verlagshandlung, Leipzig.

Verzeichnis der bis jetzt erschienenen Bände.

Bibliothek der Philosophie.

Bibliothek der Sprachwissenschaft.

Geschichte der lateinischen Sprache von Dr. Friedrich Stolz, Professor an der Universität Innsbruck. Nr. 492.

Grundriß der lateinischen Sprachlehre v. Prof. Dr. W. Votsch i. Magdeburg. Nr. 82.

Russische Grammatik von Dr. Erich Berneker, Prof. an der Universit. Prag. Nr. 66.

Kleines russisches Vokabelbuch von Dr. Erich Boehme, Lektor an der Handels-hochschule Berlin. Nr. 475.

Russisch-deutsches Gesprächsbuch von Dr. Erich Berneker, Professor an der Universität Prag. Nr. 68.

Russisches Lesebuch mit Glossar v. Dr. Erich Berneker, Prof. a. d. Univ. Prag. Nr. 67.

Geschichte der klassischen Philologie von Dr. Wilh. Kroll, ord. Prof. an der Universität Münster. Nr. 367.

Literaturgeschichtliche Bibliothek.

Deutsche Literaturgeschichte von Dr. Max Koch, Professor an der Universität Breslau. Nr. 31.

Deutsche Literaturgeschichte der Klassikerzeit von Prof. Carl Weitbrecht. Durch-gesehen und ergänzt von Prof. Dr. Karl Berger. Nr. 161.

Deutsche Literaturgeschichte des 19. Jahrhunderts von Prof. Carl Weitbrecht. Durchgesehen und ergänzt von Dr. Richard Weitbrecht in Wimpfen. 2 Teile. Nr. 134, 135.

Geschichte des deutschen Romans von Dr. Hellmuth Mielke. Nr. 229.

Gotische Sprachdenkmäler mit Grammatik, Übersetzung und Erläuterungen von Dr. Herm. Jantzen, Dir. d. Königin-Luise-Schule in Königsberg i. Pr. Nr. 79.

Althochdeutsche Literatur mit Grammatik, Übersetzung und Erläuterungen von Th. Schauffler, Prof. am Realgymnasium in Ulm. Nr. 28.

Eddalieder mit Grammatik, Übersetzung und Erläuterungen von Dr. Wilh. Ranisch, Gymnasialoberlehrer in Osnabrück. Nr. 171.

Das Walthari-Lied. Ein Heldensang aus dem 10. Jahrhundert im Versmaße der Urschrift übersetzt u. erläutert v. Prof. Dr. H. Althof in Weimar. Nr. 46.

Dichtungen aus mittelhochdeutscher Frühzeit. In Auswahl mit Einleitungen und Wörterbuch herausgegeben von Dr. Hermann Jantzen, Direktor der Königin-Luise-Schule in Königsberg i. Pr. Nr. 137.

Der Nibelunge Nôt in Auswahl und mittelhochdeutsche Grammatik mit kurzem Wörterbuch von Dr. W. Golther, Prof. an der Universität Rostock. Nr. 1.

Kudrun und Dietrichepen. Mit Einleitung und Wörterbuch von Dr. O. L. Jiriczek, Prof. an der Universität Münster. Nr. 10.

Hartmann von Aue, Wolfram von Eschenbach und Gottfried von Straß-burg. Auswahl aus dem höfischen Epos mit Anmerkungen und Wörterbuch v. Dr. K. Marold, Prof. a. Kgl. Friedrichskollegium zu Königsberg i. Pr. Nr. 22.

Walther von der Vogelweide mit Auswahl aus Minnesang und Spruch-dichtung. Mit Anmerkungen und einem Wörterbuch von O. Güntter, Prof. an der Oberrealschule und an der Techn. Hochschule in Stuttgart. Nr. 28.

Die Epigonen des höfischen Epos. Auswahl aus deutschen Dichtungen des 13. Jahrhunderts von Dr. Viktor Junk, Aktuarius der Kais. Akademie der Wissenschaften in Wien. Nr. 289.

Deutsche Literaturdenkmäler des 14. und 15. Jahrhunderts, ausgewählt und erläutert von Dr. Hermann Jantzen, Direktor der Königin-Luise-Schule in Königsberg i. Pr. Nr. 181.

Deutsche Literaturdenkmäler des 16. Jahrhunderts. I: Martin Luther, Thomas Murner und das Kirchenlied des 16. Jahrhunderts. Ausge-wählt und mit Einleitungen und Anmerkungen versehen von Prof. G. Berlit, Oberlehrer am Nikolaigymnasium zu Leipzig. Nr. 7.

Deutsche Literaturdenkmäler des 16. Jahrhunderts. II: **Hans Sachs.** Ausgewählt und erläutert von Professor Dr. Julius Sahr. Nr. 24.
— III: Von Brant bis Rollenhagen: Brant, Hutten, Fischart, sowie Tierepos und Fabel. Ausgewählt u. erläutert von Prof. Dr. Julius Sahr. Nr. 36.
Deutsche Literaturdenkmäler des 17. und 18. Jahrhunderts von Dr. Paul Legband in Berlin. 1. Teil. Nr. 364.
Simplicius Simplicissimus von Hans Jakob Christoffel von Grimmelshausen. In Auswahl herausgegeben von Prof. Dr. F. Bobertag, Dozent an der Universität Breslau. Nr. 138.
Das deutsche Volkslied. Ausgewählt und erläutert von Professor Dr. Julius Sahr. 2 Bändchen. Nr. 25, 132.
Englische Literaturgeschichte von Dr. Karl Weiser in Wien. Nr. 69.
Grundzüge und Haupttypen der englischen Literaturgeschichte von Dr. Arnold M. M. Schröer, Prof. an der Handelshochschule in Köln. 2 Teile. Nr. 286, 287.
Italienische Literaturgeschichte von Dr. Karl Voßler, Prof. an der Universität Heidelberg. Nr. 125.
Spanische Literaturgeschichte von Dr. Rudolf Beer in Wien. 2 Bde. Nr. 167, 168.
Portugiesische Literaturgeschichte von Dr. Karl von Reinhardstoettner, Prof. an der Königl. Technischen Hochschule München. Nr. 213.
Russische Literaturgeschichte von Dr. Georg Polonskij in München. Nr. 166.
Russische Literatur v. Dr. Erich Boehme, Leitor an d. Handelshochschule Berlin. I. Teil: Auswahl moderner Prosa und Poesie mit ausführlichen Anmerkungen und Akzentbezeichnung. Nr. 403.
— II. Teil: Всеволодъ, Гаршинъ, Разсказы. Mit Anmerkungen und Akzentbezeichnung. Nr. 404.
Slavische Literaturgeschichte von Dr. Josef Karásek in Wien. I: Ältere Literatur bis zur Wiedergeburt. Nr. 277.
— II: Das 19. Jahrhundert. Nr. 278.
Nordische Literaturgeschichte. I: Die isländische und norwegische Literatur des Mittelalters von Dr. Wolfgang Golther, Prof. an der Univ. Rostock. Nr. 254.
Die Hauptliteraturen des Orients von Dr. Mich. Haberlandt, Privatdozent an der Universität Wien. I: Die Literaturen Ostasiens und Indiens. Nr. 162.
— II: Die Literaturen der Perser, Semiten und Türken. Nr. 163.
Griechische Literaturgeschichte mit Berücksichtigung der Geschichte der Wissenschaften von Dr. Alfred Gercke, Prof. an der Univers. Greifswald. Nr. 70.
Römische Literaturgeschichte von Dr. Herm. Joachim in Hamburg. Nr. 52.
Die Metamorphosen des P. Ovidius Naso. In Auswahl mit einer Einleitung und Anmerkungen herausgegeben von Dr. Julius Ziehen in Frankfurt a. M. Nr. 442.
Vergil, Aeneis. In Auswahl mit einer Einleitung und Anmerkungen herausgegeben von Dr. Julius Ziehen in Frankfurt a. M. Nr. 497.

Geschichtliche Bibliothek.

Einleitung in die Geschichtswissenschaft von Dr. Ernst Bernheim, Prof. an der Universität Greifswald. Nr. 270.
Urgeschichte der Menschheit von Dr. Moriz Hoernes, Prof. an der Universität in Wien. Mit 53 Abbildungen. Nr. 42.
Geschichte des alten Morgenlandes von Dr. Fr. Hommel, o. ö. Prof. der semitischen Sprachen an der Universität in München. Mit 9 Voll- und Textbildern und 1 Karte des Morgenlandes. Nr. 43.

4

Sächsische Geschichte von Prof. Otto Kaemmel, Rektor des Nikolaigymnasiums zu Leipzig. Nr. 100.

Thüringische Geschichte von Dr. Ernst Devrient in Leipzig. Nr. 352.

Badische Geschichte von Dr. Karl Brunner, Prof. am Gymnasium in Pforzheim u. Privatdozent der Geschichte an der Techn. Hochschule in Karlsruhe. Nr. 230.

Württembergische Geschichte von Dr. Karl Weller, Professor am Karlsgymnasium in Stuttgart. Nr. 462.

Geschichte Lothringens von Geh. Reg.-R. Dr. Herm. Derichsweiler in Straßburg. Nr. 6.

Die Kultur der Renaissance. Gesittung, Forschung, Dichtung von Dr. Robert F. Arnold, Professor an der Universität Wien. Nr. 189.

Geschichte des 19. Jahrhunderts von Oskar Jäger, o. Honorarprofessor an der Universität Bonn. 1. Bändchen: 1800—1852. Nr. 216.

— 2. Bändchen: 1853 bis Ende des Jahrhunderts. Nr. 217.

Kolonialgeschichte von Dr. Dietrich Schäfer, Prof. der Geschichte an der Univ. Berlin. Nr. 156.

Die Seemacht in der deutschen Geschichte von Wirkl. Admiralitätsrat Dr. Ernst von Halle, Prof. an der Universität Berlin. Nr. 370.

Geographische Bibliothek.

Physische Geographie von Dr. Siegm. Günther, Professor an der Königl. Technischen Hochschule in München. Mit 32 Abbildungen. Nr. 26.

Astronomische Geographie von Dr. Siegm. Günther, Professor an der Königl. Technischen Hochschule in München. Mit 52 Abbildungen. Nr. 92.

Klimakunde. I: Allgemeine Klimalehre von Professor Dr. W. Köppen, Meteorologe der Seewarte Hamburg. Mit 7 Tafeln u. 2 Figuren. Nr. 114.

Paläoklimatologie von Dr. Wilh. R. Eckardt, Assistent a. Meteorologischen Observatorium u. d. öffentl. Wetterdienststelle in Aachen. Nr. 482.

Meteorologie von Dr. W. Trabert, Professor a. d. Universität in Innsbruck. Mit 49 Abbildungen und 7 Tafeln. Nr. 54.

Physische Meereskunde von Prof. Dr. Gerhard Schott, Abteilungsvorsteher an der Deutschen Seewarte in Hamburg. Mit 39 Abb. im Text u. 8 Tafeln. Nr. 112.

Paläogeographie. Geologische Geschichte der Meere u. Festländer v. Dr. Franz Kossmat in Wien. Mit 6 Karten. Nr. 406.

Das Eiszeitalter von Dr. Emil Werth in Berlin-Wilmersdorf. Mit 17 Abbildungen und 1 Karte. Nr. 431.

Die Alpen von Dr. Rob. Sieger, Prof. an der Universität Graz. Mit 19 Abbildungen und 1 Karte. Nr. 129.

Gletscherkunde von Dr. Fritz Machacek in Wien. Mit 5 Abbildungen im Text und 11 Tafeln. Nr. 154.

Pflanzengeographie von Prof. Dr. Ludwig Diels, Privatdoz. an der Univers. Berlin. Nr. 389.

Tiergeographie von Dr. Arnold Jacobi, Professor der Zoologie an der Königl. Forstakademie zu Tharandt. Mit 2 Karten. Nr. 218.

Länderkunde von Europa von Dr. Franz Heiderich, Professor an der Exportakademie in Wien. Mit 10 Textkärtchen und Profilen und einer Karte der Alpeneinteilung. Nr. 62.

— der außereuropäischen Erdteile von Dr. Franz Heiderich, Professor an der Exportakademie in Wien. Mit 11 Textkärtchen u. Profil. Nr. 63.

Kartenkunde, geschichtlich dargestellt von E. Gelcich, Direktor der k. k. Nautischen Schule in Lussinpiccolo, F. Sauter, Professor am Realgymnasium in Ulm und Dr. Paul Dinse, Assistent der Gesellschaft für Erdkunde in Berlin, neu bearbeitet von Dr. M. Groll, Kartograph in Berlin. Mit 71 Abbildungen. Nr. 30.

Mathematische u. astronomische Bibliothek.

Geschichte der Mathematik von Dr. A. Sturm, Professor am Obergymnasium in Seitenstetten. Nr. 226.

Arithmetik und Algebra von Dr. Hermann Schubert, Prof. an der Gelehrtenschule des Johanneums in Hamburg. Nr. 47.

Beispielsammlung zur Arithmetik und Algebra von Dr. Hermann Schubert, Prof. an der Gelehrtenschule des Johanneums in Hamburg. Nr. 48.

Algebraische Kurven von Eugen Beutel, Oberreallehrer in Vaihingen-Enz. I: Kurvendiskussion. Mit 57 Figuren im Text. Nr. 435.

Determinanten von Paul B. Fischer, Oberlehrer an der Oberrealschule zu Groß-Lichterfelde. Nr. 402.

Ebene Geometrie mit 110 zweifarb. Figuren von G. Mahler, Prof. am Gymnasium in Ulm. Nr. 41.

Darstellende Geometrie I mit 110 Figuren von Dr. Rob. Haußner, Prof. an der Universität Jena. Nr. 142.
— II. Mit 40 Figuren. Nr. 143.

Ebene und sphärische Trigonometrie mit 70 Fig. von Dr. Gerhard Hessenberg, Professor an der Landwirtschaftl. Akademie Bonn-Poppelsdorf. Nr. 99.

Stereometrie mit 66 Figuren von Dr. R. Glaser in Stuttgart. Nr. 97.

Niedere Analysis mit 6 Fig. von Prof. Dr. Benedikt Sporer in Ehlngen. Nr. 53.

Vierstellige Tafeln und Gegentafeln für logarithmisches und trigonometrisches Rechnen in zwei Farben zusammengestellt von Dr. Hermann Schubert, Prof. an der Gelehrtenschule des Johanneums in Hamburg. Nr. 81.

Fünfstellige Logarithmen von Professor Aug. Adler, Direktor der k. k. Staatsoberrealschule in Wien. Nr. 423.

Analytische Geometrie der Ebene mit 57 Figuren von Prof. Dr. M. Simon in Straßburg. Nr. 65.

Aufgabensammlung zur analytischen Geometrie der Ebene mit 32 Fig. von O. Th. Bürklen, Professor am Realgymnasium in Schwäb.-Gmünd. Nr. 256.

Analytische Geometrie des Raumes mit 28 Abbildungen von Professor Dr. M. Simon in Straßburg. Nr. 89.

Aufgabensammlung zur analytischen Geometrie des Raumes mit 8 Fig. von O. Th. Bürklen, Prof. am Realgymnasium in Schwäb.-Gmünd. Nr. 309.

Höhere Analysis von Dr. Friedrich Junker, Prof. am Karlsgymnasium in Stuttgart. I: Differentialrechnung mit 68 Figuren. Nr. 87.
— II: Integralrechnung mit 89 Figuren. Nr. 88.

Repetitorium und Aufgabensammlung zur Differentialrechnung mit 46 Fig. von Dr. Friedr. Junker, Prof. am Karlsgymnasium in Stuttgart. Nr. 146.

Repetitorium und Aufgabensammlung zur Integralrechnung mit 52 Fig. von Dr. Friedr. Junker, Prof. am Karlsgymnasium in Stuttgart. Nr. 147.

Projektive Geometrie in synthetischer Behandlung mit 91 Fig. von Dr. K. Doehlemann, Prof. an der Universität München. Nr. 72.

Mathematische Formelsammlung und Repetitorium der Mathematik, enth. die wichtigsten Formeln und Lehrsätze der Arithmetik, Algebra, algebraischen Analysis, ebenen Geometrie, Stereometrie, ebenen und sphärischen Trigonometrie, math. Geographie, analyt. Geometrie der Ebene und des Raumes, der Differential- und Integralrechnung von O. Th. Bürklen, Prof. am Kgl. Realgymnasium in Schw.-Gmünd. Mit 18 Figuren. Nr. 51.

Versicherungsmathematik von Dr. Alfred Loewy, Prof. an der Universität Freiburg i. Br. Nr. 180.

Geometrisches Zeichnen von H. Becker, neubearbeitet von Prof. J. Vonderlinn, Direktor der Kgl. Baugewerkschule zu Münster i. W. Mit 290 Figuren und 23 Tafeln im Text. Nr. 58.

Vektoranalysis von Dr. Siegfr. Valentiner, Privatdozent für Physik an der Universität Berlin. Mit 11 Figuren. Nr. 354.

Astrophysik. Die Beschaffenheit der Himmelskörper von Dr. Walter F. Wislicenus, neu bearbeitet von Dr. H. Ludendorff in Potsdam. Mit 15 Abbildungen. Nr. 91.

Astronomie. Größe, Bewegung und Entfernung der Himmelskörper von A. F. Möbius, neubearb. von Dr. Herm. Kobold, Prof. an der Universität Kiel. I: Das Planetensystem. Mit 33 Abbildungen. Nr. 11.

Astronomische Geographie mit 52 Figuren von Dr. Siegm. Günther, Prof. an der Techn. Hochschule in München. Nr. 92.

Ausgleichungsrechnung nach der Methode der kleinsten Quadrate mit 15 Fig. und 2 Tafeln von Wilh. Weitbrecht, Professor der Geodäsie in Stuttgart. Nr. 302.

Vermessungskunde von Dipl.-Ing. P. Werkmeister, Oberlehrer an der Kaiserl. Technischen Schule in Straßburg i. E. I: Feldmessen und Nivellieren. Mit 146 Abbildungen. Nr. 468.

— II: Der Theodolit. Trigonometrische und barometrische Höhenmessung. Tachymetrie. Mit 109 Abbildungen. Nr. 469.

Nautik. Kurzer Abriß des täglich an Bord von Handelsschiffen angewandten Teils der Schiffahrtskunde mit 56 Abbildungen von Dr. Franz Schulze, Direktor der Navigationsschule zu Lübeck. Nr. 84.

☛ Gleichzeitig macht die Verlagshandlung auf die „Sammlung Schubert", eine Sammlung mathematischer Lehrbücher, aufmerksam. Ein vollständiges Verzeichnis dieser Sammlung, sowie ein ausführlicher Katalog aller übrigen mathematischen Werke der G. J. Göschenschen Verlagshandlung kann kostenfrei durch jede Buchhandlung bezogen werden.

Naturwissenschaftliche Bibliothek.

Paläontologie und Abstammungslehre von Prof. Dr. Karl Diener in Wien. Mit 9 Abbildungen. Nr. 460.

Der menschliche Körper, sein Bau und seine Tätigkeiten, von E. Rebmann, Oberschulrat in Karlsruhe. Mit Gesundheitslehre von Dr. med. H. Seiler. Mit 47 Abbildungen und 1 Tafel. Nr. 18.

Urgeschichte der Menschheit von Dr. Moritz Hoernes, Prof. an der Universität Wien. Mit 53 Abbildungen. Nr. 42.

Völkerkunde von Dr. Michael Haberlandt, k. u. k. Kustos der ethnogr. Sammlung des naturhistor. Hofmuseums u. Privatdozent an der Universität Wien. Mit 51 Abbildungen. Nr. 73.

Tierkunde von Dr. Franz v. Wagner, Prof. an der Universität Graz. Mit 78 Abbildungen. Nr. 60.

Abriß der Biologie der Tiere von Dr. Heinrich Simroth, Professor an der Universität Leipzig. Nr. 131.

Tiergeographie von Dr. Arnold Jacobi, Prof. der Zoologie an der Kgl. Forstakademie zu Tharandt. Mit 2 Karten. Nr. 218.

Das Tierreich. I: Säugetiere, von Oberstudienrat Prof. Dr. Kurt Lampert, Vorsteher des Kgl. Naturalienkabinetts in Stuttgart. Mit 15 Abbildungen. Nr. 282.

— **III: Reptilien und Amphibien,** von Dr. Franz Werner, Privatdozent an der Universität Wien. Mit 48 Abbildungen. Nr. 383.

— **IV: Fische,** von Dr. Max Rauther, Privatdozent der Zoologie an der Universität Gießen. Mit 37 Abbildungen. Nr. 356.

— **VI: Die wirbellosen Tiere,** von Dr. Ludwig Böhmig, Prof. der Zoologie an der Universität Graz. I: Urtiere, Schwämme, Nesseltiere, Rippenquallen und Würmer. Mit 74 Figuren. Nr. 439.

Entwicklungsgeschichte der Tiere von Dr. Johs. Meisenheimer, Professor der Zoologie an der Universität Marburg. I: Furchung, Primitivanlagen, Larven, Formbildung, Embryonalhüllen. Mit 48 Fig. Nr. 378.

— **II:** Organbildung. Mit 46 Figuren. Nr. 379.

Schmarotzer und Schmarotzertum in der Tierwelt. Erste Einführung in die tierische Schmarotzerkunde von Dr. Franz v. Wagner, Professor an der Universität Graz. Mit 67 Abbildungen. Nr. 151.

Geschichte der Zoologie von Dr. Rud. Burckhardt. weil. Direktor der Zoologischen Station des Berliner Aquariums in Rovigno (Istrien). Nr. 357.

Die Pflanze, ihr Bau und ihr Leben von Professor Dr. E. Dennert in Godesberg. Mit 96 Abbildungen. Nr. 44.

Das Pflanzenreich. Einteilung des gesamten Pflanzenreichs mit den wichtigsten und bekanntesten Arten von Dr. F. Reinecke in Breslau und Dr. W. Migula, Prof. an der Forstakademie Eisenach. Mit 50 Fig. Nr. 122.

Die Stämme des Pflanzenreichs von Privatdoz. Dr. Rob. Pilger, Kustos am Kgl. Botanischen Garten in Berlin-Dahlem. Mit 22 Abbildungen. Nr. 485.

Pflanzenbiologie von Dr. W. Migula, Prof. an der Forstakademie Eisenach. Mit 50 Abbildungen. Nr. 127.

Pflanzengeographie von Prof. Dr. Ludwig Diels, Privatdoz. an der Univers. Berlin. Nr. 389.

Morphologie, Anatomie und Physiologie der Pflanzen von Dr. W. Migula, Prof. an der Forstakademie Eisenach. Mit 50 Abbildungen. Nr. 141.

Die Pflanzenwelt der Gewässer von Dr. W. Migula, Prof. an der Forstakademie Eisenach. Mit 50 Abbildungen. Nr. 158.

Exkursionsflora von Deutschland zum Bestimmen der häufigeren in Deutschland wildwachsenden Pflanzen von Dr. W. Migula, Prof. an der Forstakademie Eisenach. 2 Teile. Mit 100 Abbildungen. Nr. 268, 269.

Die Nadelhölzer von Prof. Dr. F. W. Neger in Tharandt. Mit 85 Abbildungen, 5 Tabellen und 3 Karten. Nr. 355.

Nutzpflanzen von Prof. Dr. J. Behrens, Vorst. der Großh. landwirtschaftl. Versuchsanst. Augustenberg. Mit 53 Figuren. Nr. 123.

Bibliothek der Physik.
Siehe unter Naturwissenschaften.

Bibliothek der Chemie.
Siehe unter Naturwissenschaften und Technologie.

Bibliothek der Technologie.
Chemische Technologie.

Allgemeine chemische Technologie v. Dr. Gust. Rauter in Charlottenburg. Nr. 113.

Die Fette und Öle sowie die Seifen- und Kerzenfabrikation und die Harze, Lacke, Firnisse mit ihren wichtigsten Hilfsstoffen von Dr. Karl Braun. I: Einführung in die Chemie, Besprechung einiger Salze und der Fette und Öle. Nr. 335.

— II: Die Seifenfabrikation, die Seifenanalyse und die Kerzenfabrikation. Mit 25 Abbildungen. Nr. 336.

— III: Harze, Lacke, Firnisse. Nr. 337.

Ätherische Öle und Riechstoffe von Dr. F. Rochussen in Miltitz. Mit 9 Abbildungen. Nr. 446.

Die Explosivstoffe. Einführung in die Chemie der explosiven Vorgänge von Dr. H. Brunswig in Neubabelsberg. Mit 16 Abbildungen. Nr. 333.

Brauereiwesen I: Mälzerei von Dr. Paul Dreverhoff, Direktor der Brauer- und Malzerschule in Grimma. Mit 16 Abbildungen. Nr. 303.

Das Wasser und seine Verwendung in Industrie und Gewerbe von Dipl.-Ing. Dr. Ernst Leher. Mit 15 Abbildungen. Nr. 261.

Wasser und Abwässer. Ihre Zusammensetzung, Beurteilung und Untersuchung von Prof. Dr. Emil Haselhoff, Vorsteher der landwirtschaftlichen Versuchsstation in Marburg in Hessen. Nr. 473.

Zündwaren von Direktor Dr. Alfons Bujard, Vorstand des Städt. Chemisch. Laboratoriums in Stuttgart. Nr. 109.

Anorganische chemische Industrie von Dr. Gust. Rauter in Charlottenburg. I: Die Leblancsodaindustrie und ihre Nebenzweige. Mit 12 Tafeln. Nr. 205.

— II: Salinenwesen, Kalisalze, Düngerindustrie und Verwandtes. Mit 6 Tafeln. Nr. 206.

— III: Anorganische Chemische Präparate. Mit 6 Tafeln. Nr. 207.

Metallurgie von Dr. Aug. Geitz in München. 2 Bde. Mit 21 Fig. Nr. 313, 314.

Elektrometallurgie von Reg.-R. Dr. Fr. Regelsberger in Steglitz-Berlin. Mit 16 Figuren. Nr. 110.

Die Industrie der Silikate, der künstlichen Bausteine und des Mörtels von Dr. Gustav Rauter. I: Glas- und keramische Industrie. Mit 12 Taf. Nr. 233.

— II: Die Industrie der künstlichen Bausteine und des Mörtels. Mit 12 Tafeln. Nr. 234.

Die Teerfarbstoffe mit besonderer Berücksichtigung der synthetischen Methoden von Dr. Hans Bucherer, Prof. a. d. Kgl. Techn. Hochschule Dresden. Nr. 214.

Mechanische Technologie.

Mechanische Technologie von Geh. Hofrat Prof. A. Lüdicke in Braunschweig. 2 Bde. Nr. 340, 341.

Textil-Industrie I: Spinnerei und Zwirnerei von Prof. Max Gürtler, Geh. Regierungsrat im Königl. Landesgewerbeamt zu Berlin. Mit 39 Fig. Nr. 184.

— II: Weberei, Wirkerei, Posamentiererei, Spitzen- und Gardinenfabrikation und Filzfabrikation von Prof. Max Gürtler, Geh. Regierungsrat im Königl. Landesgewerbeamt zu Berlin. Mit 29 Figuren. Nr. 185.

— III: Wäscherei, Bleicherei, Färberei und ihre Hülfsstoffe von Dr. Wilh. Massot, Lehrer an der Preuß. höh. Fachschule für Textil-Industrie in Krefeld. Mit 28 Figuren. Nr. 186.

Die Materialien des Maschinenbaues und der Elektrotechnik von Ingenieur Prof. Herm. Wilda in Bremen. Mit 3 Abbildungen. Nr. 476.

Das Holz. Aufbau, Eigenschaften und Verwendung, von Prof. Herm. Wilda in Bremen. Mit 33 Abbildungen. Nr. 459.

Das autogene Schweiß- und Schneidverfahren von Ingenieur Hans Niese in Kiel. Mit 30 Figuren. Nr. 499.

Bibliothek der Ingenieurwissenschaften.

Das Rechnen in der Technik u. seine Hülfsmittel (Rechenschieber, Rechentafeln, Rechenmaschinen usw.) von Ingenieur Joh. Eugen Mayer in Karlsruhe i. B. Mit 30 Abb. Nr. 405.

Materialprüfungswesen. Einführung in die moderne Technik der Materialprüfung von K. Memmler, Diplom-Ingenieur, ständ. Mitarbeiter am Kgl. Materialprüfungsamte zu Groß-Lichterfelde. I: Materialeigenschaften. — Festigkeitsversuche. — Hülfsmittel für Festigkeitsversuche. Mit 58 Figuren. Nr. 311.

— II: Metallprüfung und Prüfung von Hilfsmaterialien des Maschinenbaues. — Baumaterialprüfung. — Papierprüfung. — Schmiermittelprüfung. — Einiges über Metallographie. Mit 31 Figuren. Nr. 312.

Metallographie. Kurze, gemeinfaßliche Darstellung der Lehre von den Metallen und ihren Legierungen, unter besonderer Berücksichtigung der Metallmikroskopie von Prof. E. Heyn und Prof. O. Bauer am Kgl. Materialprüfungsamt (Groß-Lichterfelde) der Kgl. Technischen Hochschule zu Berlin. I: Allgemeiner Teil. Mit 45 Abbildungen im Text und 5 Lichtbildern auf 3 Tafeln. Nr. 432.

— II: Spezieller Teil. Mit 49 Abbildungen im Text und 37 Lichtbildern auf 19 Tafeln. Nr. 433.

Statik. I: Die Grundlehren der Statik starrer Körper von W. Hauber, Diplom-Ingenieur. Mit 82 Figuren. Nr. 178.

— II: Angewandte Statik. Mit 61 Figuren. Nr. 179.

Festigkeitslehre von W. Hauber, Diplom-Ingenieur. Mit 56 Figuren. Nr. 288.

Aufgabensammlung zur Festigkeitslehre mit Lösungen von R. Haren, Diplom-Ingenieur in Mannheim. Mit 42 Figuren. Nr. 491.

Hydraulik v. W. Hauber, Diplom-Ingenieur in Stuttgart. Mit 44 Fig. Nr. 397.

Geometrisches Zeichnen von H. Becker, Architekt und Lehrer an der Baugewerkschule in Magdeburg, neubearbeitet von Professor J. Vonderlinn in Münster. Mit 290 Figuren und 23 Tafeln im Text. Nr. 58.

Schattenkonstruktionen von Prof. J. Vonderlinn in Münster. Mit 114 Fig. Nr. 236.

Parallelperspektive. Rechtwinklige und schiefwinklige Axonometrie von Prof. J. Vonderlinn in Münster. Mit 121 Figuren. Nr. 260.

Zentral-Perspektive von Architekt Hans Freyberger, neubearbeitet von Prof. J. Vonderlinn, Dir. d. Kgl. Baugewerkschule, Münster i. W. Mit 132 Figuren. Nr. 57.

Technisches Wörterbuch, enthaltend die wichtigsten Ausdrücke des Maschinenbaues, Schiffbaues und der Elektrotechnik von Erich Krebs in Berlin. I. Teil: Deutsch-Englisch. Nr. 395.
— II. Teil: Englisch-Deutsch. Nr. 396.
— III. Teil: Deutsch-Französisch. Nr. 453.
— IV. Teil: Französisch-Deutsch. Nr. 454.

Elektrotechnik. Einführung in die moderne Gleich- und Wechselstromtechnik von J. Herrmann, Professor an der Königlich Technischen Hochschule Stuttgart. I: Die physikalischen Grundlagen. Mit 42 Fig. u. 10 Tafeln. Nr. 196.
— II: Die Gleichstromtechnik. Mit 103 Figuren und 16 Tafeln. Nr. 197.
— III: Die Wechselstromtechnik. Mit 126 Fig. u. 16 Taf. Nr. 198.

Die elektrischen Meßinstrumente. Darstellung der Wirkungsweise der gebräuchlichsten Meßinstrumente der Elektrotechnik und kurze Beschreibung ihres Aufbaues von J. Herrmann, Prof. an der Königl. Techn. Hochschule Stuttgart. Mit 195 Fig. Nr. 477.

Radioaktivität von Chemiker Wilh. Frommel. Mit 18 Abbildungen. Nr. 317.

Die Gleichstrommaschine von C. Kinzbrunner, Ingenieur u. Dozent für Elektrotechnik a. d. Municipal School of Technology in Manchester. Mit 78 Fig. Nr. 257.

Ströme und Spannungen in Starkstromnetzen von Diplom-Elektroingenieur Josef Herzog in Budapest u. Prof. Feldmann in Delft. Mit 68 Fig. Nr. 456.

Die elektrische Telegraphie von Dr. Ludwig Rellstab. Mit 19 Figuren. Nr. 172.

Das Fernsprechwesen v. Dr. Ludw. Rellstab in Berlin. Mit 47 Fig. u. 1 Taf. Nr. 155.

Vermessungskunde von Dipl.-Ing. Oberlehrer P. Werkmeister. 2 Bändchen. Mit 255 Abbildungen. Nr. 468, 469.

Maurer- u. Steinhauerarbeiten von Prof. Dr. phil. u. Dr.-Ing. Eduard Schmitt in Darmstadt. 3 Bändchen. Mit vielen Abbildungen. Nr. 419—421.

Zimmerarbeiten von Carl Opitz, Oberlehrer an der Kais. Technischen Schule in Straßburg i. E. I: Allgemeines, Balkenlagen, Zwischendecken und Deckenbildungen, hölzerne Fußböden, Fachwerkswände, Hänge- und Sprengewerke. Mit 169 Abbildungen. Nr. 489.
— II: Dächer, Wandbekleidungen, Simsschalungen, Block-, Bohlen- und Bretterwände, Zäune, Türen, Tore, Tribünen und Baugerüste. Mit 167 Abbildungen. Nr. 490.

Eisenkonstruktionen im Hochbau. Kurzgefaßtes Handbuch mit Beispielen von Ingenieur Karl Schindler in Meißen. Mit 115 Figuren. Nr. 322.

Der Eisenbetonbau von Reg.-Baumeister Karl Rößle in Berlin-Steglitz. Mit 77 Abbildungen. Nr. 349.

Heizung und Lüftung von Ingenieur Johannes Körting, Direktor der Akt.-Ges. Gebrüder Körting in Düsseldorf. I: Das Wesen und die Berechnung der Heizungs- und Lüftungsanlagen. Mit 34 Figuren. Nr. 342.
— II: Die Ausführung der Heizungs- und Lüftungsanlagen. Mit 195 Fig. Nr. 343.

Gas- und Wasserinstallationen mit Einschluß der Abortanlagen von Professor Dr. phil. u. Dr.-Ing. Eduard Schmitt in Darmstadt. Mit 119 Abbild. Nr. 412.

Das Veranschlagen im Hochbau. Kurzgefaßtes Handbuch über das Wesen des Kostenanschlages von Emil Beutinger, Architekt B.D.A., Assistent an der Technischen Hochschule in Darmstadt. Mit vielen Figuren. Nr. 385.

Bauführung. Kurzgefaßtes Handbuch über das Wesen der Bauführung von Architekt Emil Beutinger, Assistent an der Technischen Hochschule in Darmstadt. Mit 25 Figuren und 11 Tabellen. Nr. 399.

Die Preßluftwerkzeuge von Diplom-Ingenieur P. Ilts, Oberlehrer an der
Kaiserl. Technischen Schule in Straßburg. Mit 82 Figuren. Nr. 493.
Nautik. Kurzer Abriß des täglich an Bord von Handelsschiffen angewandten
Teils der Schiffahrtskunde. Von Dr. Franz Schulze, Direktor der Navi-
gationsschule zu Lübeck. Mit 66 Abbildungen. Nr. 84.

Bibliothek der Rechts- u. Staatswissenschaften.

Allgemeine Rechtslehre von Dr. Th. Sternberg, Privatdozent an der Univers.
Lausanne. I: Die Methode. Nr. 169.
— II: Das System. Nr. 170.
Recht des Bürgerlichen Gesetzbuches. **Erstes Buch:** Allgemeiner Teil.
I: Einleitung — Lehre von den Personen und von den Sachen von
Dr. Paul Oertmann, Professor an der Universität Erlangen. Nr. 447.
— — II: Erwerb und Verlust, Geltendmachung und Schutz der Rechte von
Dr. Paul Oertmann, Professor an der Universität Erlangen. Nr. 448.
— **Zweites Buch:** Schuldrecht. I. Abteilung: Allgemeine Lehren von Dr. Paul
Oertmann, Professor an der Universität Erlangen. Nr. 323.
— — II. Abteilung: Die einzelnen Schuldverhältnisse von Dr. Paul Oertmann,
Professor an der Universität Erlangen. Nr. 324.
— **Drittes Buch:** Sachenrecht von Dr. F. Kretzschmar, Oberlandesgerichtsrat
in Dresden. I: Allgemeine Lehren. Besitz und Eigentum. Nr. 480.
— — II: Begrenzte Rechte. Nr. 481.
— **Viertes Buch:** Familienrecht von Dr. Heinrich Titze, Professor an der Univ.
Göttingen. Nr. 305.
Deutsches Handelsrecht von Prof. Dr. Karl Lehmann in Rostock. 2 Bändchen.
Nr. 457, 458.
Das deutsche Seerecht von Dr. Otto Brandis, Oberlandesgerichtsrat in Hamburg.
2 Bände. Nr. 386, 387.
Postrecht von Dr. Alfred Wolde, Postinspektor in Bonn. Nr. 425.
Allgemeine Staatslehre von Dr. Hermann Rehm, Prof. an der Universität
Straßburg i. E. Nr. 358.
Allgemeines Staatsrecht von Dr. Julius Hatschek, Prof. an der Universität
Göttingen. 3 Bändchen. Nr. 415—417.
Preußisches Staatsrecht von Dr. Fritz Stier-Somlo, Prof. an der Univers.
Bonn. 2 Teile. Nr. 298, 299.
Deutsches Zivilprozeßrecht von Professor Dr. Wilhelm Kisch in Straßburg i. E.
3 Bände. Nr. 428—430.
Kirchenrecht von Dr. Emil Sehling, ord. Prof. der Rechte in Erlangen. Nr. 377.
Das deutsche Urheberrecht an literarischen, künstlerischen und gewerblichen
Schöpfungen, mit besonderer Berücksichtigung der internationalen Verträge
von Dr. Gustav Rauter, Patentanwalt in Charlottenburg. Nr. 263.
Der internationale gewerbliche Rechtsschutz von J. Neuberg, Kaiserl. Re-
gierungsrat, Mitglied des Kaiserl. Patentamts zu Berlin. Nr. 271.
Das Urheberrecht an Werken der Literatur und der Tonkunst, das Verlagsrecht
und das Urheberrecht an Werken der bildenden Künste und der Photographie
von Staatsanwalt Dr. J. Schlittgen in Chemnitz. Nr. 361.
Das Warenzeichenrecht. Nach dem Gesetz zum Schutz der Warenbezeichnungen
vom 12. Mai 1894 von J. Neuberg, Kaiserl. Regierungsrat, Mitglied des
Kaiserl. Patentamtes zu Berlin. Nr. 360.

Der unlautere Wettbewerb von Rechtsanwalt Dr. Martin Wassermann in Hamburg. Nr. 339.

Deutsches Kolonialrecht von Dr. H. Edler v. Hoffmann, Professor an der Kgl. Akademie Posen. Nr. 318.

Militärstrafrecht von Dr. Max Ernst Mayer, Prof. an der Universität Straßburg i. E. 2 Bände. Nr. 371, 372.

Deutsche Wehrverfassung von Kriegsgerichtsrat Carl Endres i. Würzburg. Nr. 401.

Forensische Psychiatrie von Prof. Dr. W. Weygandt, Direktor der Irrenanstalt Friedrichsberg in Hamburg. 2 Bändchen. Nr. 410 u. 411.

Volkswirtschaftliche Bibliothek.

Volkswirtschaftslehre von Dr. Carl Johs. Fuchs, Professor an der Universität Tübingen. Nr. 133.

Volkswirtschaftspolitik von Präsident Dr. R. van der Borght in Berlin. Nr. 177.

Gewerbewesen von Dr. Werner Sombart, Professor an der Handelshochschule Berlin. 2 Bände. Nr. 203, 204.

Das Handelswesen von Dr. Wilh. Lexis, Professor an der Universität Göttingen. I: Das Handelspersonal und der Warenhandel. Nr. 296.
— II. Die Effektenbörse und die innere Handelspolitik. Nr. 297.

Auswärtige Handelspolitik von Dr. Heinrich Sieveking, Professor an der Universität Zürich. Nr. 245.

Das Versicherungswesen von Dr. jur. Paul Moldenhauer, Professor der Versicherungswissenschaft an der Handelshochschule Köln. Nr. 262.

Versicherungsmathematik von Dr. Alfred Loewy, Professor an der Universität Freiburg i. B. Nr. 180.

Die gewerbliche Arbeiterfrage von Dr. Werner Sombart, Professor an der Handelshochschule Berlin. Nr. 209.

Die Arbeiterversicherung von Professor Dr. Alfred Manes in Berlin. Nr. 267.

Finanzwissenschaft von Präsident Dr. R. van der Borght in Berlin. I. Allgemeiner Teil. Nr. 148.
— II. Besonderer Teil (Steuerlehre). Nr. 391.

Die Steuersysteme des Auslandes von Geh. Oberfinanzrat O. Schwarz in Berlin. Nr. 426.

Die Entwicklung der Reichsfinanzen von Präsident Dr. R. van der Borght in Berlin. Nr. 427.

Die Finanzsysteme der Großmächte. (Internat. Staats- u. Gemeinde-Finanzwesen.) Von O. Schwarz, Geh. Oberfinanzrat, Berlin. 2 Bdch. Nr. 450, 451.

Soziologie von Prof. Dr. Thomas Achelis in Bremen. Nr. 101.

Die Entwicklung der sozialen Frage von Prof. Dr. Ferd. Tönnies in Eutin. Nr. 353.

Armenwesen und Armenfürsorge. Einführung in die soziale Hilfsarbeit von Dr. Adolf Weber, Professor an der Handelshochschule in Köln. Nr. 346.

Die Wohnungsfrage von Dr. L. Pohle, Professor der Staatswissenschaften zu Frankfurt a. M. I: Das Wohnungswesen in der modernen Stadt. Nr. 495.
— II: Die städtische Wohnungs- und Bodenpolitik. Nr. 496.

Das Genossenschaftswesen in Deutschland von Dr. Otto Lindecke, Sekretär des Hauptverbandes deutscher gewerblicher Genossenschaften. Nr. 384.

Theologische und religionswissenschaftliche Bibliothek.

Die Entstehung des Alten Testaments von Lic. Dr. W. Staerk, Professor an der Universität in Jena. Nr. 272.

Alttestamentliche Religionsgeschichte von D. Dr. Max Löhr, Professor an der Universität Breslau. Nr. 292.

Geschichte Israels bis auf die griechische Zeit von Lic. Dr. J. Benzinger. Nr. 231.

Landes- u. Volkskunde Palästinas von Lic. Dr. Gustav Hölscher in Halle. Mit 8 Vollbildern und 1 Karte. Nr. 345.

Die Entstehung d. Neuen Testaments v. Prf. Lic. Dr. Carl Clemen in Bonn. Nr. 285.

Die Entwicklung der christlichen Religion innerhalb des Neuen Testaments von Prof. Lic. Dr. Carl Clemen in Bonn. Nr. 388.

Neutestamentliche Zeitgeschichte von Lic. Dr. W. Staerk, Professor an der Universität in Jena. I: Der historische u. kulturgeschichtliche Hintergrund des Urchristentums. Nr. 325.

— II: Die Religion des Judentums im Zeitalter des Hellenismus und der Römerherrschaft. Nr. 326.

Die Entstehung des Talmuds von Dr. S. Funk in Boskowitz. Nr. 479.

Abriß der vergleichenden Religionswissenschaft von Prof. Dr. Th. Achelis in Bremen. Nr. 208.

Die Religionen der Naturvölker im Umriß von Dr. Th. Achelis, weiland Professor in Bremen. Nr. 449.

Indische Religionsgeschichte von Prof. Dr. Edmund Hardy. Nr. 83.

Buddha von Professor Dr. Edmund Hardy. Nr. 174.

Griechische und römische Mythologie von Dr. Hermann Steuding, Rektor des Gymnasiums in Schneeberg. Nr. 27.

Germanische Mythologie von Dr. E. Mogk, Professor an der Universität Leipzig. Nr. 15.

Die deutsche Heldensage von Dr. Otto Luitpold Jiriczek, Professor an der Universität Münster. Nr. 32.

Pädagogische Bibliothek.

Pädagogik im Grundriß von Professor Dr. W. Rein, Direktor des Pädagogischen Seminars an der Universität in Jena. Nr. 12.

Geschichte der Pädagogik von Oberlehrer Dr. H. Weimer in Wiesbaden. Nr. 145.

Schulpraxis. Methodik der Volksschule von Dr. R. Seyfert, Seminardirektor in Zschopau. Nr. 50.

Zeichenschule von Professor K. Kimmich in Ulm. Mit 18 Tafeln in Ton-, Farben- u. Golddruck u. 200 Voll- u. Textbildern. Nr. 39.

Bewegungsspiele von Dr. E. Kohlrausch, Prof. am Kgl. Kaiser-Wilhelms-Gymnasium zu Hannover. Mit 14 Abbildungen. Nr. 96.

Geschichte des deutschen Unterrichtswesens von Professor Dr. Friedrich Seiler, Direktor des Königlichen Gymnasiums zu Luckau. I: Von Anfang an bis zum Ende des 18. Jahrhunderts. Nr. 275.

— II: Vom Beginn des 19. Jahrhunderts bis auf die Gegenwart. Nr. 276.

Das deutsche Fortbildungsschulwesen nach seiner geschichtlichen Entwicklung und in seiner gegenwärtigen Gestalt von H. Sierds, Direktor der städt. Fortbildungsschulen in Heide i. Holstein. Nr. 392.

Die deutsche Schule im Auslande von Hans Amrhein, Direktor der deutschen Schule in Lüttich. Nr. 259.

Bibliothek der Kunst.

Stilkunde von Prof. Karl Otto Hartmann in Stuttgart. Mit 7 Vollbildern und 195 Textillustrationen. Nr. 80.

Die Baukunst des Abendlandes von Dr. K. Schäfer, Assistent am Gewerbemuseum in Bremen. Mit 22 Abbildungen. Nr. 74.

Die Plastik des Abendlandes von Dr. Hans Stegmann, Direktor des Bayr. Nationalmuseums in München. Mit 23 Tafeln. Nr. 116.

Die Plastik seit Beginn des 19. Jahrhunderts von A. Heilmeyer in München. Mit 41 Vollbildern auf amerikanischem Kunstdruckpapier. Nr. 321.

Die graphischen Künste v. Carl Kampmann, k. k. Lehrer an der k. k. Graphischen Lehr- u. Versuchsanstalt in Wien. Mit zahlreichen Abbild. u. Beilagen. Nr. 75.

Die Photographie von H. Keßler, Prof. an der k. k. Graphischen Lehr- und Versuchsanstalt in Wien. Mit 4 Tafeln und 52 Abbildungen. Nr. 94.

Bibliothek der Musik.

Allgemeine Musiklehre von Professor Stephan Krehl in Leipzig. Nr. 220.

Musikalische Akustik von Dr. Karl L. Schäfer, Dozent an der Universität Berlin. Mit 35 Abbildungen. Nr. 21.

Harmonielehre von A. Halm. Mit vielen Notenbeilagen. Nr. 120.

Musikalische Formenlehre (Kompositionslehre) von Prof. Stephan Krehl. I. II. Mit vielen Notenbeispielen. Nr. 149, 150.

Kontrapunkt. Die Lehre von der selbständigen Stimmführung von Professor Stephan Krehl in Leipzig. Nr. 390.

Fuge. Erläuterung und Anleitung zur Komposition derselben von Professor Stephan Krehl in Leipzig. Nr. 418.

Instrumentenlehre von Musikdirektor Franz Mayerhoff in Chemnitz. I: Text. II: Notenbeispiele. Nr. 437, 438.

Musikästhetik von Dr. K. Grunsky in Stuttgart. Nr. 344.

Geschichte der alten und mittelalterlichen Musik von Dr. A. Möhler. Mit zahlreichen Abbildungen und Musikbeilagen. I. II. Nr. 121, 347.

Musikgeschichte des 17. u. 18. Jahrhunderts v. Dr. K. Grunsky i. Stuttgart. Nr. 239.

— seit Beginn des 19. Jahrhunderts von Dr. K. Grunsky in Stuttgart. I. II. Nr. 164, 165.

Bibliothek der Land- und Forstwirtschaft.

Bodenkunde von Dr. P. Vageler in Königsberg i. Pr. Nr. 455.

Ackerbau- und Pflanzenbaulehre von Dr. Paul Rippert in Berlin und Ernst Langenbeck in Bochum. Nr. 232.

Landwirtschaftliche Betriebslehre von Ernst Langenbeck in Bochum. Nr. 227.

Allgemeine und spezielle Tierzuchtlehre von Dr. Paul Rippert in Berlin. Nr. 228.

Agrikulturchemie I: Pflanzenernährung von Dr. Karl Grauer. Nr. 329.

Das agrikulturchemische Kontrollwesen v. Dr. Paul Krische in Göttingen. Nr. 304.

Fischerei und Fischzucht von Dr. Karl Eckstein, Prof. an der Forstakademie Eberswalde, Abteilungsdirigent bei der Hauptstation des forstlichen Versuchswesens. Nr. 159.

Forstwissenschaft von Dr. Ad. Schwappach, Prof. an der Forstakadem. Eberswalde, Abteilungsdirigent bei der Hauptstation d. forstlichen Versuchswesens. Nr. 106.

Die Nadelhölzer von Prof. Dr. F. W. Neger in Tharandt. Mit 85 Abbildungen, 5 Tabellen und 3 Karten. Nr. 355.

Handelswissenschaftliche Bibliothek.

Buchführung in einfachen und doppelten Posten von Prof. Robert Stern, Oberlehrer der Öffentlichen Handelslehranstalt und Dozent der Handelshochschule zu Leipzig. Mit Formularen. Nr. 115.

Deutsche Handelskorrespondenz von Prof. Th. de Beaux, Offizier de l'Instruction Publique, Oberlehrer a. D. an der Öffentlichen Handelslehranstalt und Lektor an der Handelshochschule zu Leipzig. Nr. 182.

Französische Handelskorrespondenz von Professor Th. de Beaux, Offizier de l'Instruction Publique, Oberlehrer a. D. an der Öffentlichen Handelslehranstalt und Lektor an der Handelshochschule zu Leipzig. Nr. 183.

Englische Handelskorrespondenz von E. E. Whitfield, M.-A., Oberlehrer an King Edward VII Grammar School in Kings Lynn. Nr. 237.

Italienische Handelskorrespondenz von Professor Alberto de Beaux, Oberlehrer am Königlichen Institut SS. Annunziata zu Florenz. Nr. 219.

Spanische Handelskorrespondenz v. Dr. Alfredo Nabal de Mariezcurrena. Nr. 295.

Russische Handelskorrespondenz von Dr. Th. v. Kawraysky in Leipzig. Nr. 315.

Kaufmännisches Rechnen von Prof. Richard Just, Oberlehrer an d. Öffentlichen Handelslehranstalt der Dresdener Kaufmannschaft. 3 Bde. Nr. 139, 140, 187.

Warenkunde von Dr. Karl Hassack, Professor an der Wiener Handelsakademie. I: Unorganische Waren. Mit 40 Abbildungen. Nr. 222.
— II: Organische Waren. Mit 36 Abbildungen. Nr. 223.

Drogenkunde von Rich. Dorstewitz in Leipzig und Georg Ottersbach in Hamburg. Nr. 413.

Maß-, Münz- und Gewichtswesen von Dr. Aug. Blind, Professor an der Handelsschule in Köln. Nr. 283.

Technik des Bankwesens von Dr. Walter Conrad in Berlin. Nr. 484.

Das Wechselwesen von Rechtsanwalt Dr. Rudolf Mothes in Leipzig. Nr. 103.

☞ Siehe auch „Volkswirtschaftliche Bibliothek". Ein ausführliches Verzeichnis der außerdem im Verlage der G. J. Göschenschen Verlagshandlung erschienenen handelswissenschaftlichen Werke kann durch jede Buchhandlung kostenfrei bezogen werden.

Militär- und marinewissenschaftliche Bibliothek.

Das moderne Feldgeschütz. I: Die Entwicklung des Feldgeschützes seit Einführung des gezogenen Infanteriegewehrs bis einschließlich der Erfindung des rauchlosen Pulvers, etwa 1850—1890, v. Oberstleutnant W. Heydenreich, Militärlehrer an der Militärtechn. Akademie in Berlin. Mit 1 Abbild. Nr. 306.

— II: Die Entwicklung des heutigen Feldgeschützes auf Grund der Erfindung des rauchlosen Pulvers, etwa 1890 bis zur Gegenwart, von Oberstleutnant W. Heydenreich, Militärlehrer an der Militärtechn. Akademie in Berlin. Mit 1½ Abbildungen. Nr. 307.

Die modernen Geschütze der Fußartillerie. I: Vom Auftreten der gezogenen Geschütze bis zur Verwendung des rauchschwachen Pulvers 1850—1890 von Mummenhoff, Major beim Stabe des Fußartillerie-Regiments Generalfeldzeugmeister (Brandenburgisches Nr. 3). Mit 50 Textbildern. Nr. 334.

— II: Die Entwicklung der heutigen Geschütze der Fußartillerie seit Einführung des rauchschwachen Pulvers 1890 bis zur Gegenwart. Mit 33 Textbildern. Nr. 362.

Die Entwicklung der Handfeuerwaffen seit der Mitte des 19. Jahrhunderts und ihr heutiger Stand von G. Wrzodel, Oberleutnant im Inf.-Regt. Freiherr Hiller von Gärtringen (4. Posensches) Nr. 59 und Assistent der Königl. Gewehrprüfungskommission. Mit 21 Abbildungen. Nr. 365.

Militärstrafrecht von Dr. Max Ernst Mayer, Prof. an der Universität Straßburg i. E. 2 Bände. Nr. 371, 372.

Deutsche Wehrverfassung von Karl Endres, Kriegsgerichtsrat bei dem Generalkommando des Kgl. bayr. II. Armeekorps in Würzburg. Nr. 401.

Geschichte des Kriegswesens von Dr. Emil Daniels in Berlin. I: Das antike Kriegswesen. Nr. 488.

— II: Das mittelalterliche Kriegswesen. Nr. 498.

Die Entwicklung des Kriegsschiffbaues vom Altertum bis zur Neuzeit. I. Teil: Das Zeitalter der Ruderschiffe und der Segelschiffe für die Kriegführung zur See vom Altertum bis 1840. Von Tjard Schwarz, Geh. Marinebaurat u. Schiffbau-Direktor. Mit 32 Abbildungen. Nr. 471.

Die Seemacht in der deutschen Geschichte von Wirkl. Admiralitätsrat Dr. Ernst von Halle, Prof. an der Universität Berlin. Nr. 370.

Verschiedenes.

Bibliotheks- und Zeitungswesen.

Volksbibliotheken (Bücher- und Lesehallen), ihre Einrichtung und Verwaltung von Emil Jaeschke, Stadtbibliothekar in Elberfeld. Nr. 332.

Das deutsche Zeitungswesen von Dr. Robert Brunhuber. Nr. 400.

Das moderne Zeitungswesen (System der Zeitungslehre) von Dr. Robert Brunhuber. Nr. 320.

Allgemeine Geschichte des Zeitungswesens von Dr. Ludwig Salomon in Jena. Nr. 351.

Hygiene, Medizin und Pharmazie.

Bewegungsspiele von Dr. E. Kohlrausch, Prof. am Kgl. Kaiser - Wilhelms-Gymnasium zu Hannover. Mit 15 Abbildungen. Nr. 96.

Der menschliche Körper, sein Bau und seine Tätigkeiten, von E. Rebmann, Oberschulrat in Karlsruhe. Mit Gesundheitslehre von Dr. med. H. Seiler. Mit 47 Abbildungen und 1 Tafel. Nr. 18.

Ernährung und Nahrungsmittel von Oberstabsarzt Prof. Dr. Bischoff in Berlin. Mit 4 Figuren. Nr. 464.

Die Infektionskrankheiten und ihre Verhütung von Stabsarzt Dr. W. Hoffmann in Berlin. Mit 12 vom Verfasser gezeichneten Abbildungen und einer Fiebertafel. Nr. 327.

Tropenhygiene von Med.-Rat Prof. Dr. Nocht, Direktor des Institutes für Schiffs- u. Tropenkrankheiten in Hamburg. Nr. 369.

Die Hygiene des Städtebaus von H. Chr. Nußbaum, Prof. an der Techn. Hochschule in Hannover. Mit 30 Abbildungen. Nr. 348.

Die Hygiene des Wohnungswesens von H. Chr. Nußbaum, Prof. an der Techn. Hochschule in Hannover. Mit 20 Abbildungen. Nr. 363.

Gewerbehygiene von Geh. Medizinalrat Dr. Roth in Potsdam. Nr. 350.

Pharmakognosie. Von Apotheker F. Schmitthenner, Assistent am Botan. Institut der Technischen Hochschule Karlsruhe. Nr. 251.

Toxikologische Chemie von Privatdozent Dr. E. Mannheim in Bonn. Mit 6 Abbildungen. Nr. 465.

Drogenkunde von Rich. Dorstewitz in Leipzig u. Georg Ottersbach in Hamburg. Nr. 413.

Photographie.

Die Photographie. Von H. Keßler, Prof. an der k. k. Graphischen Lehr- und Versuchsanstalt in Wien. Mit 4 Taf. und 52 Abbild. Nr. 94.

Stenographie.

Stenographie nach dem System von F. X. Gabelsberger von Dr. Albert Schramm, Landesamtsassessor in Dresden. Nr. 246.

Die Redeschrift des Gabelsbergerschen Systems von Dr. Albert Schramm, Landesamtsassessor in Dresden. Nr. 368.

Lehrbuch der vereinfachten Deutschen Stenographie (Einig.-System Stolze-Schrey) nebst Schlüssel, Lesestücken und einem Anhang von Dr. Amsel, Studienrat des Kadettenkorps in Bensberg. Nr. 86.

Redeschrift. Lehrbuch der Redeschrift des Systems Stolze-Schrey nebst Kürzungsbeispielen, Lesestücken, Schlüssel und einer Anleitung zur Steigerung der stenographischen Fertigkeit von Heinrich Dröse, amtl. bad. Landtagsstenographen in Karlsruhe i. B. Nr. 494.

☞ **Weitere Bände sind in Vorbereitung. Neueste Verzeichnisse sind jederzeit unberechnet durch jede Buchhandlung zu beziehen.** ☜

22